LES TERRORISTES

JAMES MILLS

LES
TERRORISTES

Traduit de l'américain par Marie-Joséphine Grosjean

PIERRE BELFOND

3 *bis*, passage de la Petite-Boucherie
75006 Paris

Ce livre a été publié sous le titre original
THE SEVENTH POWER
par A. Henry Robbins Book
E. P. Dutton & Co, inc. New York

Si vous souhaitez recevoir notre catalogue
et être tenu au courant de nos publications,
envoyez vos nom et adresse en citant ce livre.
Éditions Pierre Belfond
3 *bis*, passage de la Petite-Boucherie
75006 Paris

ISBN 2.7144.1180.0
© James Mills 1976
© Belfond 1978 pour la traduction française

... Le monde compte actuellement six puissances nucléaires, six États détenant les moyens et la force des armes atomiques de guerre. Mais c'est ignorer la réalité encore virtuelle aujourd'hui, mais non improbable demain, d'un septième pouvoir à venir — c'est-à-dire la terrible menace que pourra constituer, à court terme, l'action marginale et occulte d'individus ou de groupes de pression qui, devenus capables de fabriquer artisanalement des armes atomiques, posséderont les moyens de terroriser des villes, de faire chanter des gouvernements ou de prendre en otage l'humanité tout entière.

Pour des raisons de simplification verbale, nous appellerons le danger historique que représentent de tels individus ou groupes « LA SEPTIÈME PUISSANCE » ...

AVERTISSEMENT DE L'AUTEUR

Tous les personnages de ce récit sont purement imaginaires, et toute ressemblance avec des personnes vivantes ne serait que fortuite et involontaire.

Le nom des auteurs des livres cités dans cet ouvrage ainsi que les citations extraites de ces mêmes livres sont par contre tout à fait authentiques.

Enfin, les différents procédés de fabrication artisanale d'une bombe atomique mis en œuvre par le personnage central de ce récit ont tous été tirés de la consultation d'archives et de dossiers secrets « déclassés » et actuellement accessibles à tout citoyen des États-Unis.

CHAPITRE I

Elle s'assit dans le noir, toute tremblante, sur la moquette du salon et tenta de rassembler ses esprits. Respirant profondément comme si elle venait de prendre une décision, elle essuya les larmes qui coulaient sur son visage, se releva et se dirigea à tâtons dans l'appartement jusqu'à la chambre. Elle passa, silencieusement, sur la pointe des pieds, près de deux formes sombres couchées sur les lits jumeaux, entra dans la salle de bains, ferma la porte, alluma et se mit à vomir dans la cuvette bleue des W.-C.

Pendant dix minutes, elle resta là, prostrée, assise sur le carrelage frais, son bras gauche passé en travers de la cuvette, la tête sur le bras, épuisée. Sur le poignet de son avant-bras gauche, appuyé sur la cuvette, deux longues cicatrices de 3 centimètres chacune lui entaillaient diagonalement la peau.

Elle portait des spartiates de cuir, un tee-shirt orange et un jeans.

Sous son tee-shirt, une réplique en or 24 carats d'une plaque matricule de soldat était retenue à son cou par un lacet de cuir; sur le revers de cette plaque était gravée l'inscription suivante : « Que celui qui retrouvera mon corps aille se faire foutre. »

Elle ôta péniblement son tee-shirt imprégné de sueur puis fouilla dans l'armoire à pharmacie : clofibrate, mousse à raser Gillette, un peigne en argent, trois brosses à dents jaunes, de la pâte dentifrice, de la Benzédrine, du Séconal, du Librium et aussi une... résille!

Le tube de Librium, à moitié entamé, portait le nom de J. Y. Smith sur l'étiquette. John Smith? Elle prit deux pilules de Librium, hésita puis les remit dans leur tube. Elle éteignit et revint au salon.

Se rencognant dans l'angle de la fenêtre, pour ne pas trop s'exposer, elle regarda dans la direction du bâtiment des Nations Unies, juste de l'autre côté de la rue, puis ses yeux plongèrent quatre étages plus bas, vers la rue elle-même. Elle compta onze lumières rouges qui clignotaient. Elle entrouvrit la fenêtre, songea aux gaz lacrymogènes puis ne la referma pas complètement, en se disant : « Et merde, de toute façon, ils nous les enverront même à travers la vitre »; elle laissa donc la fenêtre entrouverte. Elle respira à longs traits l'air chaud, épais et âcre de la ville.

Elle remarqua des cordes à nœuds posées sur les bords de la fenêtre. Elle baissa les stores vénitiens, les ferma et tira les longs rideaux de velours bleu; elle répéta l'opération à l'autre fenêtre, séparée de la première par une bibliothèque. Elle se sentit suffisamment en sécurité pour allumer un petit abat-jour posé sur une table basse.

La première chose qu'elle vit fut un énorme poste de télé qui remplissait toute la cheminée. Il était même plus grand que celui que sa mère avait offert à Danny, son professeur particulier. Sauf que Danny, lui, qui portait des pantalons de velours et des chemises de soie, n'aurait mis le poste de télé dans la cheminée que s'il avait eu l'intention de le détruire.

Un casier en bas de la bibliothèque était rempli de bandes magnétiques et d'appareillages hi-fi — amplificateurs, modulateurs d'écoute, magnétophone — bref, tout un matériel qui devait valoir plusieurs milliers de dollars. Devant la bibliothèque, dans un cadre pliant argenté, elle vit la photo d'un jeune homme de grande taille, à l'allure élégante et, juste en face de celle-ci, une deuxième photo, celle d'une jeune femme portant une robe longue et un collier de diamants. Ils se ressemblaient assez pour qu'on pût les croire frère et sœur.

La jeune fille ouvrit un premier placard et y découvrit des vêtements : les vêtements d'hiver de M. Smith. Des complets noirs, des complets gris, des complets en flanelle, des nœuds papillons, un pardessus noir, des chaussettes noires, une demi-douzaine de cravates toutes du même modèle, à damiers noirs et blancs. Elle regarda l'autre placard plein de robes du soir et de chaussures de femme; sur les rayonnages, des chandails, des corsages, des sous-vêtements. Elle retourna vers la bibliothèque et examina les photos de plus près. « Merde! » s'écria-t-elle. L'homme et la femme étaient une seule et même personne.

Un bruit parvint de la chambre et la fit sursauter. Elle écouta, puis entrouvrit la porte qui grinça.

— Aizy?

— T'es réveillé? demanda-t-elle.

— Ouais.

— Comment ça va, Stoop?

— Ça me fait mal.

Elle entra et s'agenouilla près du lit.

— Il y a du Séconal et de la Benzédrine dans la salle de bains.

L'homme, sur le lit, hocha la tête mais ne dit pas un mot. C'était un Noir, jeune; il ne portait pour tout vêtement qu'un drap déchiré, rougi par le sang, qui l'enveloppait des hanches jusqu'au torse.

— Tu en veux? demanda-t-elle en passant la main sur son pansement : il était humide.

— File-moi n'importe quoi, putain! Je crève de chaud et je meurs de soif. Apporte-moi quelque chose à boire. Donne-moi du Séconal.

— O.K.!

Elle lui donna deux comprimés de Séconal avec un verre d'eau.

Dans la cuisine, la cuve émaillée et brillante d'un réfrigérateur General Electric fumait de froid. Il contenait trois bouteilles de lait écrémé, six bouteilles de tonic, du maïs congelé, des petits pois congelés et un coq au vin lui aussi congelé. Elle appuya sur un bouton et une cascade de glaçons tomba dans le torchon qu'elle tenait à la main. Elle en fit tomber d'autres dans un verre d'eau; en sortant, elle remarqua un autre poste de télé encastré dans le mur, au-dessus d'un four à infrarouges. Elle se rendit compte, à cet instant, combien cette tristesse préemballée, congelée et technologique de l'appartement de M. Smith s'accordait parfaitement avec la situation présente.

Elle donna à Stoop de l'eau fraîche, posa doucement la

serviette enveloppant les glaçons sur les bandages de son pansement qui devenait de plus en plus rouge. Elle s'agenouilla et examina Stoop à travers la pénombre de la chambre. Il gémit et changea ses bras de place. Sa tête ruisselante de sueur roula de gauche à droite sur l'oreiller.

Aizy appuya son dos contre le mur, entre les lits, sans cesser de regarder le carré de lumière qui filtrait du salon. Elle dégagea la frange de cheveux humides qui couvrait son front et se recroquevilla, passant ses bras autour de ses genoux.

En bas, dans la rue, une sirène retentit. Elle savait qu'il ne leur faudrait pas longtemps pour arriver jusqu'à eux. Que feraient-ils en entrant? Allaient-ils leur parler ou bien leur tirer dessus dès que la porte serait ouverte? Et elle, appuierait-elle sur le bouton? Attirée malgré elle, elle regarda avec répugnance l'autre lit : un gros objet rond pesait de tout son poids sur le milieu. La chose était grotesque, enflée, de couleur verdâtre, et son obscénité la rendit malade, elle qui, pourtant, l'avait fabriquée.

Elle attendit que le Séconal ait produit son effet. La respiration de Stoop devint plus profonde. Puis elle retourna au salon. Elle s'assit sur la moquette, devant la bibliothèque et la chaîne hi-fi. C'était à eux d'agir maintenant; s'ils voulaient attendre, elle attendrait. Elle regarda les titres des bandes d'enregistrement : les plus grands succès de Mozart, les plus grands succès de Puccini, et aussi les plus grands succès des Beatles. « Cuisine toute faite, musique toute faite, voilà un type qui n'a pas de temps à perdre », constata-t-elle.

Elle trouva un petit micro noir rectangulaire dans un étui doublé de feutre; elle le brancha sur le magnétophone garni d'acier chromé. Si elle devait mourir, elle voulait que l'on sache pourquoi. Les flics ne le diraient pas; personne ne dirait pourquoi. Enregistrer la bande, dire ce qui s'était passé, ça l'empêcherait de penser à Bobby et à Stoop. Ses pensées macabres cesseraient. Elle murmura : « Bon débarras », puis enclencha le bouton rouge d'enregistrement. La bande ne démarra pas. Ayant trouvé un bouton à la base du micro, elle appuya dessus et la bande commença à tourner. « Allô! dit-elle. Allô! allô!

allô! » Elle fit revenir la bande en arrière : « Allô! allô! allô! »

Elle approcha de nouveau le petit micro noir de ses lèvres et recommença l'opération. « O.K.! dit-elle. Bon, qu'est-ce que je peux bien vous raconter maintenant? »

CHAPITRE II

Les bras croisés sur la poitrine, Harry Ransom s'appuya contre un car de police dans une douce pénombre striée par le faisceau lumineux des lampes à arc; il éprouvait une sensation d'angoisse et de violence prête à éclater. Il évitait le centre des villes. En vérité, c'était toujours là, au centre des villes, que les choses arrivaient — des choses imprévisibles, bruyantes. Mais leur importance n'était qu'illusion. Il avait appris à se déplacer à la périphérie des villes, à trouver une position à mi-chemin de l'ombre et de la lumière, une position de retrait, « excentrique ». Il habitait Long Island. Il avait un voilier.

— Ça me fiche une de ces trouilles, dit le type qui se trouvait près de Harry Ransom.

C'était un grand type mince. Il portait une chemise de tennis et un pantalon vert sans forme, retenu par une ceinture de cuir pas plus large que la grosseur d'un crayon. Ses ongles étaient rongés jusqu'à l'os.

— Ça me fiche aussi la trouille, professeur, mais tout s'arrangera. C'est la seule chose dont on puisse être sûr : tout s'arrange.

Ransom sourit, embarrassé; il se sentait ridicule à cause de la prétention de sa remarque; il posa sa main droite sur l'épaule du professeur. Le dessus de sa main portait des cicatrices, la peau était jaune et tirée. L'index, celui qui appuyait sur la détente, était mou, paralysé, et ne bougeait qu'associé aux autres doigts.

Après six mois d'entraînement au tir, Ransom s'était rééduqué et tirait maintenant de la main gauche.

La place des Nations Unies était un chaos de cars de police, d'ambulances, de voitures de pompiers, de voitures

14

à projecteurs et de voitures radio. Les policiers qui passaient au pas de course de la zone d'ombre à la zone éclairée saluaient Ransom d'un signe affectueux ou respectueux, selon leur âge ou leur grade. Il n'était que capitaine mais aurait pu être inspecteur en chef adjoint. La rumeur publique et certains commérages, pour une fois exacts, disaient qu'il avait été assez malin pour s'attaquer au « système » tant qu'il avait pensé que ça pouvait lui servir, et assez honnête pour être resté fidèle à lui-même, Harry Ransom, quand il avait compris que cela ne le menait à rien. Il conservait encore quelques dossiers compromettants pour certains de ses amis et collègues, tous cachés dans des cartons poussiéreux de Kronenbourg, juste derrière le chauffe-eau de sa cave.

Le type mince debout à côté de Ransom tira un mouchoir gris de la poche de son pantalon et essuya la sueur qui coulait le long de sa nuque bien rasée. « Cette humidité... », dit-il.

Quelques mètres plus loin, un sergent du service d'urgence ouvrit une boîte métallique noire d'où il sortit un mégaphone électrique.

— Ce sont les projecteurs, lâcha Ransom d'un air absent, les yeux fixés sur un officier en tenue arrivant du centre des opérations.

— Dites, docteur, demanda l'officier au type mince, quand est-ce que vous allez me donner quelque chose contre ces douleurs que j'ai à la verge?

Ses cheveux étaient coupés très court, en brosse, il conservait ce style de coiffure depuis qu'il avait passé un an dans un collège militaire de la Caroline du Sud, vingt-cinq ans plus tôt.

Le professeur Brech prit un air embarrassé. Il était ingénieur en chimie, docteur en physique, mais l'inspecteur-chef Caroll faisait comme s'il ne comprenait pas qu'il n'était pas médecin. Ransom ne prêtait attention ni à Caroll ni à Brech; il fixait les fenêtres sombres du quatrième étage, de l'autre côté de la rue. Une jeune fille et un jeune type y étaient aux abois.

Ransom pensa à la fille. Il savait qu'elle était étudiante à Princeton, qu'elle venait de Cleveland, qu'elle avait vingt ans, un an de plus que sa propre fille. Il savait aussi qu'elle serait probablement morte avant le matin. Son boulot, là, en ce moment, c'était de la garder en vie; mais tout à l'heure, son boulot, ça pourrait être de la tuer. Sa fille avait voulu aller à Princeton, il avait assez d'argent, mais elle n'avait pu obtenir une bourse que pour Columbia; elle continuait d'habiter à la maison. Ils faisaient du bateau ensemble.

Quelqu'un ferma les stores dans l'appartement; derrière les stores, on put voir de la lumière. Il était sûr que cela finirait ici, sûr de connaître le choix vers lequel tous les arguments et tous les événements allaient bientôt converger.

L'inspecteur-chef Caroll vantait au professeur Brech le système de communication : circuit de télévision fermé ... écoutes téléphoniques. « Dans ce camion-là précisément, j'ai ... » Ransom attrapa Brech par le bras et l'entraîna hors de portée des oreilles de Caroll.

— De là-bas, dit-il en désignant l'endroit du regard, depuis l'appartement et en tenant compte du fleuve et du bâtiment des Nations Unies, quelle distance à votre avis... ?

CHAPITRE III

Bon, qu'est-ce que je pourrais bien vous dire? C'est arrivé tout simplement. Il y a quatre semaines, je rentrais à Patton Hall, après un cours de chimie, et c'est là que j'ai vu ce type, un Noir, accroupi sur la pelouse.

Il regardait un écureuil en tendant la main vers lui, mais l'écureuil, apparemment, ça ne lui disait rien. Il y réfléchissait, l'écureuil; alors le type a baissé sa main et ils sont restés comme ça un long moment à se regarder, tous les deux accroupis, parfaitement immobiles comme s'ils se disaient des choses à voix basse.

Il portait un tee-shirt gris avec, dessus, l'inscription « Princeton Gym »; là-dessous, on voyait ses muscles durs, immobiles, comme dans les livres d'anatomie. Et puis, tout d'un coup, il s'est relevé d'un bond et l'écureuil s'est sauvé. Leur conversation avait pris fin. Il se mit à marcher dans la même allée que moi. Comme ça, je pouvais le suivre tout en regardant son dos et son jeans; quelle machine, tous ces muscles qui roulaient et se déplaçaient! Il était beau, grand, droit, puissant, noir.

Le premier Noir que je me suis fait, c'était sans doute pour emmerder ma mère. De toute façon, c'est ce que le psychanalyste a dit. Je savais qu'il allait le dire avant qu'il ne le dise. Je m'y connais. La première fois qu'ils ont su que quelque chose ne tournait pas rond, c'était au jardin d'enfants. J'ai dit quelque chose au professeur et j'ai employé le mot « remontrance ». Aussitôt la prof m'a emmenée chez le conseiller pédagogique : psychanalyste « numéro un ». Voilà le mot que nous a sorti cette enfant de cinq ans; donc, elle doit être soit très douée soit précoce ou quelque chose comme ça, un peu flippée!

17

Ne croyez-vous pas? Alors on m'a fait passer des tests, on m'a posé des tas de questions.

Puis, quelque temps après cet incident, pas longtemps après, ma mère m'a surprise dans la salle de bains alors que j'étais en train de me toucher : psychanalyste « numéro deux ». Ma mère a vraiment paniqué. Elle avait des tas de responsabilités, là-bas, à Chagrin Falls (l'orchestre symphonique de Cleveland, et des trucs comme des tournois de bridge, je ne sais pas) et la dernière chose au monde qu'elle ne pouvait supporter, c'était que sa môme déconne. C'était déjà bien assez difficile pour elle de tenir mon père dans le droit chemin; et en plus une môme qui déconne! Ce n'est pas qu'elle pouvait pas me voir en peinture ni qu'elle ne s'était pas encore habituée à mes excentricités, mais elle avait peur que cela se sache.

Elle était le genre de personne qui mange ses toasts avec un couteau et une fourchette; je pense que cela peut vous en dire long sur elle, n'est-ce pas? Mon père disait qu'elle s'était mise à le détester le jour où elle avait découvert qu'il pissait sans fermer la porte des W.-C. Tous les deux ou trois mois, j'avais des pépins, il m'arrivait des trucs, et dans le coin où on habitait il suffisait de pas grand-chose, je vous assure; alors quelqu'un appelait la maison, un voisin, un professeur ou une personne de la famille; Maggie, notre bonne, essayait de me couvrir, elle disait que ma mère était sortie, ce qui était toujours le cas, mais ils réussissaient toujours à la joindre à une de ses soirées ou quelque part, et alors j'étais bonne pour un autre psychanalyste. C'était sa solution pour tout.

Des fois, mon père, il restait à la maison pendant un jour et on allait faire une longue promenade et manger un hamburger quelque part et parler en adultes; il me parlait toujours comme si j'étais son associé en affaires ou quelque chose comme ça; on parlait de mes amis, de l'amour, du sexe et quelquefois de ma mère, cette salope. Une fois, on était assis dans sa bagnole, une Eldorado, et ses yeux se sont remplis de larmes, il a mis sa tête sur le volant et il a pleuré, c'est tout. Ce qui veut pas dire que c'était un minus qui se laissait mener par le bout du nez. Non, pas du tout, il est président de sa propre entreprise de construction, construction de bâtiments, de routes, d'aéroports;

18

c'était un dur, mais ma mère le poussait à bout. Et je commençais vraiment à me culpabiliser parce que je me mettais à lui faire autant de mal qu'elle. Je le rendais dingue aussi et j'en étais malade parce que ma sœur jumelle, elle, était un ange qui ne causait jamais de problème à personne. Elle se levait, allait à la salle de bains, s'habillait et retournait au lit. Je ne crois pas qu'elle s'inquiétait de savoir s'il y avait quelqu'un là ou pas, si ma mère était à la maison ou non. Elle se contentait de vivre à l'intérieur d'une coquille, sa coquille de petit ange qui ne fait de mal à personne. Elle s'appelle Béatrice.

Faut que je vous raconte l'histoire de nos prénoms et comment on m'a donné ce prénom, Aizy. J'avais une tante très riche, la sœur de ma mère. Elle s'appelait Adélaïde et quand le docteur a dit à ma mère qu'elle allait avoir des jumeaux, la tante Adélaïde a promis que, si l'un des deux était une fille et qu'ils l'appelaient Adélaïde, elle donnerait 100 000 dollars à chaque enfant. Évidemment mes parents ne savaient pas quoi faire parce qu'ils ne voulaient pas traumatiser l'enfant en lui donnant ce prénom d'Adélaïde; mais, d'autre part, une dot de 100 000 dollars à chacun, c'était pas mal de fric, non? Alors il fallait réfléchir. Nous sommes nées prématurées; j'étais très faible et le docteur a dit que je ne tiendrais pas le coup; alors, ils ont eu cette idée : celle qui était malade (moi) et qui allait probablement mourir, ils la baptiseraient Adélaïde, comme ça le problème était résolu; mais je les ai bien eus, j'ai tenu le coup.

Alors ils ont dit que puisqu'on était jumelles et que le nom de Béatrice commençait par un B et Adélaïde par un A, et que j'étais née la première, ils nous appelleraient familièrement Aizy et Beezy. C'était assez logique; ainsi, la tante Adélaïde ne se sentirait pas bernée ni volée de ses 200 000 dollars et moi je n'aurais pas à porter toute ma vie le prénom d'Adélaïde en toutes lettres. Ce bel arrangement, je crois que c'était une idée de ma mère. Mais j'ai toujours trouvé un peu drôle que le jour où ils m'ont donné ce prénom, ils avaient en tête que j'allais mourir; faut le faire, non?

Où en étais-je? Ah oui! quand j'avais dix ans, un jour, j'étais à l'école et je me sentais vraiment pas très bien.

Maggie était en vacances, et mon père parti quelque part, construire un motel ou un truc comme ça; ma mère, comme vous le devinez, était au diable, et Béatrice, à qui je ne pouvais parler, se contentait d'aller à l'école et de revenir à la maison comme un zombie. J'avais envie, ce jour-là, de casser quelque chose, de faire n'importe quoi pour obtenir une réaction de quelqu'un. Vraiment n'importe quoi. « Hé! vous tous, est-ce que vous m'écoutez? » Je n'avais pas beaucoup d'amis à cette époque, je voulais toujours me faire aimer de gens qui se foutaient pas mal de savoir si j'étais en vie ou non.

Alors, en sortant de l'école, quand j'ai vu ce joli petit gosse blond qui était dans ma classe, je lui ai sauté dessus sur la pelouse, carrément, sur l'herbe juste devant l'école, et devant tous ces gens qui rentraient chez eux je me suis mise sur lui, et lui ne savait pas ce que je faisais là, ni pourquoi, ni rien. Mais beaucoup d'autres le savaient, les profs aussi le savaient, ça, c'est sûr. Alors ce professeur, Mlle Lutz, qui n'était pas le mien, puisqu'elle était prof de physique pour les grandes, elle s'est approchée et m'a relevée. Elle est rentrée en courant avec moi, me traînant à moitié.

Elle m'a fait asseoir dans son bureau et elle a fermé la porte à clef. Quelqu'un est venu jusqu'à la porte et a hurlé quelque chose, mais Mlle Lutz a simplement dit : « Ça va, tout va bien », et elle est restée là avec moi pendant une demi-heure jusqu'à ce que je me calme. Puis nous sommes restées encore deux heures là à parler, à parler de tout, et elle m'a demandé si j'aimerais la revoir le lendemain, après l'école, pour parler encore de tout et de rien et je lui ai dit « ouais », « peut-être », « pourquoi pas ».

Par la suite, j'ai passé beaucoup de temps avec Mlle Lutz, jusqu'à ce qu'ils me fichent à la porte de l'école. De tous les professeurs, elle était la plus jeune. Elle s'habillait « jeune », en minijupe et même en jeans, une fois, et je me sentais très fière parce qu'elle m'aimait et que j'étais la seule à qui elle manifestait une attention particulière. On n'a jamais ouvert un livre ensemble, mais on a fait plein d'expériences.

Des expériences vraiment dingues. Un jour, elle m'a montré comment mettre des cristaux d'iode dans de l'alcool; on ajoute de l'ammoniaque et on obtient un précipité semblable à un petit crachat noir. Elle en a mis un peu au bout d'un crayon et l'a déposé sur le rebord de la fenêtre, au soleil; au bout de quelques minutes, le temps que ça sèche, elle a pris une feuille de papier et l'a agitée au-dessus du petit précipité; alors, boum! le truc noir a explosé; ça m'a fichu une de ces trouilles!

Après cela, Mlle Lutz et moi on est devenues copines. Elle me montrait comment faire toutes sortes de choses. Un autre jour, par exemple, on avait besoin d'urée, je lui demande où je peux en trouver et elle me répond : « Tu n'as qu'à faire bouillir ton urine. » Dingue, non? Je l'adorais. Et puis, elle s'est fait mettre à la porte et moi aussi, et tout ça par ma faute. Je n'arrêtais pas de courir à droite et à gauche, à cette époque-là. Je ne restais jamais quelque part plus d'une heure, j'étais jamais à la maison; il fallait que je bouge tout le temps. Je faisais tout en vue de me faire détester par ma mère.

C'est pour cela que, pour commencer, je me suis mise à rentrer de plus en plus tard à la maison. Je pensais que ça la rendrait malade, ou folle. Mais elle ne s'en apercevait même pas. Je rentrais à la maison à des 10, 11 heures du soir, alors que j'étais partie depuis le matin pour l'école; je m'attendais à ce qu'elle me tue, pensez, j'avais seulement onze ans, mais personne ne remarquait rien. Ma mère et mon père n'étaient même pas là; Maggie se disait que j'étais quelque part et, comme d'habitude, Béatrice dormait. Je ne pouvais obtenir aucune réaction de personne.

Bon, et puis il y a eu ce môme noir dans l'école privée où j'allais; le nègre de service, quoi; il n'avait que treize ans, mais de ces treize ans qui ne sont pas loin de trente; c'était un gosse des rues, très vif, il venait de Hough, le nom du ghetto de là-bas; comme c'était le môme le plus dingue de l'école, on a très vite été inséparables. C'est lui qui m'a donné le lacet de cuir que j'ai autour du cou. J'étais déjà en avance de deux classes et ça faisait un moment que je me débrouillais toute seule; on traînait ensemble et puis, un jour, il m'a emmenée au sous-sol, dans la cave de la concierge, et on a fait la chose.

Ce n'était pas seulement le premier Noir avec lequel je faisais ça, il était le « premier », point! Et puis, plus tard, quelques jours plus tard, je crois, je lui ai montré certains effets que pouvait produire l'azote iodé — cette pâte noire. La chaise de notre prof d'anglais avait un pied plus court que les autres, alors j'ai collé un bout de pâte noire dessous, et à la reprise du cours ça avait eu le temps de bien sécher. M. Drew, le prof d'anglais, c'était un vieux pédé, gros, au langage insupportable; il avait un visage pâle, bouffi, et tout le monde le détestait. Donc, nous étions tous rentrés en classe, assis à nos bureaux, et il est arrivé en se dandinant : à peine avait-il juste effleuré la chaise qu'elle explosa en mille morceaux qui ont volé à travers toute la classe. Il était hors de lui. Il est devenu tout rouge, avec un air terrifié, furieux, et il est sorti de la salle de classe en courant. C'était fantastique!

Alors, mon copain noir, Richie, il a dit qu'on pourrait se faire un peu d'argent avec ce truc-là, en le vendant à des mômes qu'il connaissait; moi, j'ai dit que je ne savais pas si c'était un bon plan, mais il m'a dit que ce serait cool : je n'aurais qu'à fabriquer le produit et lui en serait le distributeur. Je l'aimais bien, c'était mon seul ami, alors je me suis mise à fabriquer du truc et je lui en ai donné, tout en prenant soin de l'avertir qu'une fois la pâte sèche il suffisait d'un rien (même un regard un peu perçant) pour la faire exploser. Il est parti avec. Le lendemain, il n'est pas revenu en classe, et c'est le surlendemain que deux flics sont venus me chercher à l'école pour m'emmener dans un centre de détention. C'est là qu'ils m'ont bouclée.

Ils m'ont vraiment bouclée dans une cellule. Je crevais de peur. Je ne savais pas ce qui s'était passé ni ce qu'ils allaient faire de moi. Je me disais que Richie avait dû tuer quelqu'un avec l'azote iodé, que je l'avais fabriqué; j'allais sans doute passer à la chambre à gaz. Ils ont téléphoné chez moi, personne n'a répondu. Et puis il y a eu cette grosse Noire, la concierge ou la gardienne, comme vous voulez, qui est venue me voir dans ma cellule pour me demander si je voulais lui parler. Je lui ai demandé pourquoi j'étais là; elle m'a répondu que quelqu'un avait été « blessé ». Elle était amicale, gentille, elle portait une espèce de corde à linge autour de la taille avec plein de trousseaux de clefs. Elle ressemblait à la bonne que nous avions eue avant Maggie.

— Comment ça, « blessé »? ai-je demandé.

— L'agent de police, il a dit que quelqu'un avait failli exploser. Ils vous diront tout au tribunal; maintenant, détendez-vous, ne vous en faites pas et n'y pensez pas trop.

Après être restée sonnée un certain temps, je me suis vraiment inquiétée; pour me changer les idées, j'ai décidé de me réciter par cœur la table des éléments de chimie pour savoir si ma mémoire était toujours bonne. Je me suis assise sur mon bat-flanc, j'ai fixé le mur, puis j'ai commencé à réciter mes déclinaisons chimiques : hydrogène, hélium, lithium, béryllium, bore, carbone, nitrogène, oxygène... Dix minutes plus tard, j'en étais aux particules transuraniennes quand la gardienne est revenue, elle avait l'air inquiète en me demandant si tout allait bien pour moi. J'ai dit que tout allait bien pour moi en continuant mes déclinaisons : plutonium, americium, curium, berkelium, californium, einsteinium... Elle est partie, puis elle est revenue et a dit qu'ils allaient me ramener à la maison, qu'ils contacteraient mes parents et que nous devrions tous passer devant le tribunal. Un flic m'a escortée jusque chez moi; il m'a déposée devant la maison, puis il est parti. Il n'arrivait pas à concevoir, je suppose, qu'une aussi grande maison que la nôtre, où vivait une petite fille de onze ans, puisse être vide; mais elle l'était : il était 9 heures du soir, et il n'y avait personne chez moi; ou, si Béatrice était là, elle faisait la morte. Bref, je ne pouvais pas entrer. J'étais là debout, dehors, rentrant de prison, et je ne pouvais pas rentrer chez moi, dans ma maison. C'est alors que j'ai craqué. Tout d'un coup.

J'ai commencé à pleurer et à ramper sous les buissons près de la porte d'entrée et je suis restée là, allongée dans la saleté, pleurant beaucoup. Ma mère n'est rentrée que quelques heures plus tard et, aussitôt que je l'ai vue, ça a fait tilt! Dans la maison, je hurlais après elle, je jurais, courais dans tous les sens, renversant ses bibelots, ses meubles, décrochant ses tableaux, jetant en l'air tout ce qui se trouvait à portée de ma main, pendant que ma mère, elle, se contentait de regarder tout ça debout dans le hall. Puis elle est montée dans sa chambre et elle a fermé sa porte à clef. Alors, je suis allée dans la cuisine, j'ai pris un couteau et je me suis fait deux bonnes entailles bien profondes sur l'avant-bras gauche. Je me suis regardée saigner dans l'évier et la dernière chose que je me rappelle avant de m'être évanouie, c'est d'avoir traversé la belle et grande cuisine de Maggie en répandant mon sang partout autour de moi.

Le docteur est venu et a dit que c'était une crise d'adolescence. Ayant eu des règles précoces (dès l'âge de neuf ans), il prétendait que mon cas relevait de la chimiothérapie. Il m'a mis sous thorazine, j'étais complètement naze. Comme toutes les écoles où ma mère voulut m'inscrire étaient terrifiées à la seule idée de m'avoir comme élève, elle m'a pris un professeur particulier. J'ai dit à ma mère que je mettrais le feu aux rideaux de la salle à manger si elle n'engageait pas Mlle Lutz. Elle m'a répondu qu'elle préférait voir ses rideaux brûler plutôt que de prendre le risque de faire sauter toute la maison. Au lieu de Mlle Lutz, elle m'a collé un pédé de trente-cinq ans qui n'avait que la peau et les os, puis elle a pris l'avion pour la Suisse.

Chaque année, en décembre, elle disait à toutes ses amies qu'elle allait skier en Suisse; en réalité, elle allait à Genève dans l'un de ces instituts suants où, après vous en avoir bien fait baver, ils vous donnent trois ou quatre coups de bistouri autour des yeux tout en injectant des piqûres d'urine de chèvre enceinte. J'appelais ça ses piqûres de pipi. C'était ma manière à moi d'essayer de la mettre hors d'elle.

Ce Noël-là, je l'ai passé avec Maggie, Béatrice et Danny, le professeur particulier. Papa a téléphoné qu'il était à Chicago, pour affaire, vous voyez ce que je veux dire... Danny finalement n'était pas si mal que ça. Il disait que j'avais une personnalité qui fabriquait de l'échec, que je faisais toujours tout pour qu'inconsciemment tout échoue et que je me retrouve dans la merde. Du blabla de psychanalyste moyen quoi! Mais, venant de lui, cela ne me dérangeait pas; il était gentil, il avait des tas de problèmes personnels et il voulait m'aider. Il était de San Francisco et ne dépensait jamais un sou pour quoi que ce soit tellement il était radin.

Il me rabâchait que toutes les écoles étaient « un scandale! ma pauvre Aizy, un véritable scandale! » Il avait tout oublié sur les niveaux scolaires, les classes et tout ça, alors il établissait ses propres programmes; il n'arrêtait pas de tout changer; il passait rapidement sur les choses que je connaissais déjà, ou que je n'avais pas besoin de connaître, ou qui étaient vraiment trop chiantes. Il disait qu'un seul examen avait de l'importance, et que c'était l'examen d'entrée en faculté. Je crois bien qu'il en savait plus, à lui seul, sur le programme de cet examen que tous ceux qui l'avaient conçu. Il savait des tas de choses là-dessus. Pour lui, tout ce que nous étudierions n'aurait qu'un seul objectif : l'examen, et il disait que, quand je l'aurais réussi, je serais capable d'entrer dans n'importe quelle université.

Il m'a aussi fait passer des tests pour connaître mon quotient intellectuel, plus trois autres tests pour savoir dans quelles spécialités j'excellais. Il n'a voulu me donner aucun résultat, mais je sais qu'en sciences et en math j'ai crevé le plafond. Sans me vanter, en sciences et en mathématiques, je suis un génie. Nous faisions beaucoup d'expériences ensemble, mais pas comme celles de Mlle Lutz. Rien n'explosait.

Il voulait que je fasse quelque chose qui puisse impressionner le jury d'examen d'entrée à l'université, quelque chose hors programme, un projet de recherche ou quelque chose comme cela. Il m'a demandé si j'avais une idée de sujet. Je lui ai dit : « Et si on parlait des coprolithes? » Les coprolithes sont des crottes préhistoriques desséchées. Après en avoir analysé un, on devine que la chose en question, il y a de cela dix mille ans, se nourrissait de cactus et de morpions. Il y a des grosses têtes que ce genre de recherche intéresse. Danny m'a demandé quel sujet je choisirais en second. J'ai répondu : « La parthénogenèse », c'est-à-dire les naissances sans fécondation. Comme chez les pucerons et les abeilles, certains êtres humains présentent des kystes ovariens, d'origine congénitale, remplis de cheveux, de peau, d'os et de petites dents déjà toutes entièrement formées.

Je voulais faire une expérience avec des souris, élever une colonie de souris et essayer de répéter l'expérience que des biologistes du Maine avaient faite sur des souris vierges, à tumeurs ovariennes. Danny m'a dit qu'il n'aimait pas cette idée mais qu'on pourrait essayer de trouver un compromis : je pourrais avoir mes souris et tester des expériences du cancer de la peau qu'il avait étudiées. Ça me bottait parfaitement, c'était intéressant, d'autant plus que je savais que, quand ma mère reviendrait de Suisse et qu'elle trouverait sa cave pleine de souris, elle en deviendrait folle.

Ça a si bien marché que Danny a dit que je devais présenter mon projet au concours scientifique national catégorie junior. Ce que j'ai fait et qui m'a valu de gagner le premier prix.

Alors, après ma réussite aux examens, des amis de mes parents (tout le gratin de Cleveland) ont écrit des lettres pleines de mensonges disant combien j'étais ouverte, intègre, portée sur l'amour, la paix, la beauté et la bonté, et c'est comme ça que je fus acceptée à Princeton.

J'avais alors seize ans et je n'étais pas tout à fait ce que l'on pourrait appeler normale. J'étais sous Thorazine, le docteur m'en prescrivait 100 milligrammes par jour; juste avant mon départ pour Princeton, il a changé mon traitement et m'a mise sous Valium. Mes parents, évidemment, n'ont rien dit au jury de toute cette merde psychologique. Et j'ai fait un massacre aux examens d'entrée, en obtenant les meilleures notes qu'on ait jamais vues à Cleveland. C'est con de présenter les choses comme ça, mais c'est pourtant vrai. La Fondation nationale scientifique m'a attribué une bourse d'études qui récompensait mes recherches sur l'histoire des souris.

Cette attribution de bourse a rendu ma mère furieuse.

— Mais les gens vont croire que nous en avons besoin. C'est tellement dégradant! Pourquoi ne la donnent-ils pas à un petit Noir qui ne peut pas se payer l'université? Pourquoi à nous?

— Parce que je suis un génie, maman. C'est pas parce que je suis pauvre, mais parce que je suis futée.

Je l'appelais « maman » quand je voulais l'énerver. Elle pensait que c'était commun, ça la rendait dingue.

Papa, lui, trouvait que la bourse c'était formidable. Il était à New York pour affaires et il en a profité pour aller chez Cartier m'acheter cette plaque matricule de soldat.

Plus tard, quand je suis allée à New York, je l'ai rapportée chez Cartier et j'ai dû me bagarrer avec les vendeurs pour qu'ils me gravent l'inscription que vous savez au revers de ma plaque. Ils pensaient que j'étais un sale petit monstre vicieux, et, s'ils ont finalement gravé ce que je voulais, c'est uniquement pour se débarrasser de moi, pour que je fiche le camp de leur magasin.

J'ai découvert plus tard pourquoi Danny économisait tellement son argent. Tout l'argent qu'il gagnait à titre de professeur particulier, il se le gardait pour pouvoir un jour changer de sexe à Casablanca. Est-ce que ce n'est pas fantastique? Alors, salut à toi, où que tu sois : *Danielle!*

A Princeton, on m'a mise sur un programme spécial de trois ans qui débouchait sur une licence de chimie, avec comme condition que j'assisterais à des cours de troisième cycle en chimie et en physique nucléaire, et que je préparerais une thèse. Depuis l'âge de douze ans, j'ai toujours eu cette obsession : je voulais participer à ce que je pense être les deux plus grandes découvertes de notre siècle; primo : je voulais voyager dans l'espace, en état d'apesanteur, et deuzio : concevoir et construire une machine pour la production d'une réaction nucléaire en chaîne, auto-alimentée.

Ce n'est pas parce que j'étais imbue de la noblesse des sciences du savoir et du progrès que je voulais faire ces choses; je voulais les faire parce qu'elles étaient passionnantes et que c'était un défi. La science n'a jamais été que la moitié de ce qu'elle devrait être. L'imagination est bonne, les contes de fées sont bons, les enfants sont bons, mais pas la science; de toute façon, je savais que j'avais peu de chances de devenir astronaute (combien d'entre eux se soucient vraiment de science, ce qui les intéresse c'est le voyage, non?). Mais je pouvais tout au moins concevoir et fabriquer des réacteurs. C'est donc ce que je me suis mise ardemment à apprendre, et, dès ma troisième année, les chasseurs de cerveaux de l'industrie nucléaire se bousculaient devant ma porte.

J'ai commencé à vous parler de Bobby French et maintenant me voilà en train de vous raconter ma vie. Revenons donc à Bobby. Avant le jour où je l'ai vu avec cet écureuil, il y a quelques semaines de cela, il ne m'avait jamais adressé la parole. Nous suivions pourtant le même cours de physique ensemble, mais il faisait comme si je n'étais pas là. L'été dernier, je l'ai vu avec son père.

Mes parents étaient à Mexico avec des amis, c'est pourquoi je ne suis pas rentrée chez moi tout de suite. Je suis donc restée quelques semaines de plus sur le campus, passant la plupart de mon temps à la bibliothèque ou observant tous ces idiots qui revenaient de réunions et qui vomissaient du bourbon partout sur les pelouses. Je me promenais entre la chapelle de Princeton et Firestone quand j'ai vu French qui se promenait avec ce vieux Noir tout ratatiné. J'ignorais que c'était son père, mais j'ai pensé que ça pouvait l'être. Le vieux Noir portait un costume bleu foncé qui flottait autour de lui comme une tente; je les ai dépassés et je me suis dit, comme ça, puisqu'il ne restait plus beaucoup d'étudiants sur le campus, que French allait probablement me voir et me dire bonjour, ou quelque chose d'approchant. Mais non, rien. Il a regardé ailleurs. Je ne savais pas s'il avait honte de son père ou de moi; des deux, peut-être...

Donc, je ne le connaissais toujours pas jusqu'à ce jour où je l'ai vu avec l'écureuil. Je l'ai suivi dans l'allée, on a dépassé le centre de gym et on s'est dirigés vers Patton Hall, là où j'habite. Plus nous nous en approchions, plus je commençais à croire que peut-être lui aussi habitait à Patton. Comment se faisait-il alors que je ne l'y avais jamais rencontré? Il est entré par la même porte que la mienne, je l'ai suivi jusqu'au quatrième étage. Là, il a frappé à « ma » porte. Je me suis approchée et je lui ai ouvert la porte; je pensais qu'il venait voir Janet, ma cothurne, qui, sexuellement parlant, est un vrai explosif. « Entrez », ai-je dit.

Il entra, se présenta à moi d'une manière très formaliste et me dit qu'il voulait me parler quelques instants. J'ai posé mes livres sur une chaise; nous nous sommes assis sur le sofa. Je n'avais aucune idée du pourquoi il était là. Il restait assis au bord du sofa, ses mains entre ses genoux, tenant quelques livres.

— Nous avons suivi le cours de physique 101 ensemble, a-t-il dit.

— Ouais.

28

— Nous n'avons jamais eu de T.P. ensemble, mais je vous ai souvent vue aux cours de l'amphi.

— Sans blague!

— Vous faites une licence de chimie.

— Exact.

— Vous préparez une thèse sur les réacteurs à neutrons rapides.

— Plus ou moins. (Ma thèse, en fait, portait exactement sur les anomalies thermiques, à haute température, dans les composants du noyau central des réacteurs à neutrons rapides. Mais je savais me taire.)

— Écoutez, me dit-il en pivotant vers moi, ses longs doigts noirs agrippés au dos du sofa. Je ne sors pas d'un ghetto — d'aucun ghetto. Mon père est juge à Detroit et personne ne m'a jamais appelé négro. Vous me comprenez...

Comment diable pouvais-je le comprendre? Bien sûr, ai-je dit.

— Je suis licencié en sciences politiques. Je ne connais rien aux réacteurs nucléaires. Mais je voudrais vous demander de lire quelque chose.

Il me tendit alors un livre et se leva en essuyant la paume de ses mains sur son jeans. Je reviendrai, m'a-t-il dit. Puis il est parti. Je restai là debout, me demandant ce que, bon sang, tout cela pouvait bien vouloir dire. Je me suis assise, et j'ai regardé le livre. Puis j'ai commencé à le lire, sautant d'un chapitre à l'autre. Puis j'ai tout repris depuis le début et je l'ai lu d'une seule traite jusqu'au dernier chapitre.

Son livre était intitulé : *La Courbe de l'énergie de liaison*, par John McPhee; il y était question de Ted Taylor, ce physicien nucléaire qui avait fait des bombes pour le gouvernement. Au début, j'ai pensé que c'était vraiment gentil de la part de French : il sait que j'étudie la chimie nucléaire, alors il m'a offert ce livre. Ce gars-là m'aime bien, non? C'est fantastique! De plus, le livre était bon. Ce Taylor est un mec très intéressant; il a fabriqué des bombes, il sait comme c'est facile à faire et maintenant il a peur que d'autres se mettent à en fabriquer. Après tout, une bombe atomique n'est rien d'autre qu'un simple réacteur brut capable d'échapper à tout contrôle.

Je continuai à lire, fascinée par la vie de ce type, Taylor, et, tout à coup, il me vint à l'esprit que French ne m'avait pas donné ce livre pour mes beaux yeux. Il voulait quelque chose. Une phrase cochée m'a donné la réponse; il l'avait soulignée deux fois et avait mis quatre points d'exclamation dans la marge. *Faire une bombe nucléaire chez soi n'est pas impossible, ni même particulièrement difficile.*

Alors, j'ai compris pourquoi il m'avait donné ce livre à lire, cet enfant de salaud!

CHAPITRE IV

Ransom observait les joues bouffies et les petits yeux sombres de l'inspecteur-chef Caroll, s'agitant comme un ver pour se donner de l'importance. « Il nous faudra encore deux heures avant d'avoir fait sortir tous les habitants du quartier, dit Caroll et, comme il ne recevait aucune approbation de Ransom, il ajouta : Nous allons faire évacuer quatre-vingts pâtés de maisons. »

Ils se reculèrent pour laisser le passage à deux pompiers qui déroulaient une lance d'incendie.

— Nous n'aurons probablement pas besoin de tout ça, dit le professeur Brech.

— Pure précaution de routine, déclara Ransom.

— C'est une sage précaution, renchérit Caroll.

Ransom savait que Caroll ne l'aimait pas. Dans leur service, il y avait quelques flics, dont Caroll, qui, ayant une piètre opinion d'eux-mêmes, en avaient une bien pire des autres. Ils savaient tous le pourquoi et le comment des cicatrices sur la main droite de Ransom. Entre eux, ils en parlaient souvent, estimant que ses cicatrices lui allaient bien au teint. Quoique n'étant pas des intellectuels à proprement parler, ils se lançaient dans de hautes spéculations à son sujet, disant, à voix basse : « Cela ne lui serait jamais arrivé si Ransom était un « homme » digne de ce nom. » Mais Ransom s'en foutait. Maintenant qu'il repensait à tout ça, ça le faisait plutôt marrer.

Un policier en tenue arriva en courant vers Caroll et ils se concertèrent. Ransom entendit quelques mots de leur conciliabule : ils parlaient du bâtiment des Nations Unies. Caroll prit congé en les saluant gravement de la tête et, escorté du policier, se dirigea d'un pas vif vers un camion des transmissions.

Ransom regarda Caroll s'éloigner, puis se tourna vers Brech :

— Je parie qu'ils ont quelques problèmes pour faire évacuer l'O.N.U. Les mecs de l'O.N.U. doivent penser qu'il s'agit d'une fausse alerte, alors ils prennent plaisir à nous faire des merdes.

— Tout à l'heure, c'est eux qui vont être dans la merde!

Depuis que Ransom avait rencontré Brech, vingt heures plus tôt, ce dernier s'était déjà essayé plusieurs fois à ce genre d'ironie enjouée. On avait fait venir le professeur sur les lieux pour bien leur montrer à quel point la situation était grave, et bien qu'elle le fût en effet, assez pour que Brech s'en ronge les ongles, s'inquiète et fulmine, il n'en gardait pas moins tout son calme, ne confondant pas inquiétude et panique. Ransom l'aimait bien.

Deux heures, pensa Ransom. Caroll avait dit qu'il faudrait deux heures pour en finir avec l'évacuation des lieux. Il y avait déjà une heure que le garçon et la fille s'étaient retranchés dans l'appartement; apparemment, ils n'essaieraient pas d'en sortir. Ils n'avaient nulle part où aller. Pour eux, c'était le terminus. C'est bien long à passer, deux heures, si on ne se panique pas. Ses yeux quittèrent la fenêtre du quatrième et se fixèrent sur les appartements de couleur brune, aux formes écrasées, de Tudor City. Il n'était pas allé se promener sur la place des Nations Unies depuis la visite du pape. C'était sa quatrième année à Bossy, le Bureau des services spéciaux, un endroit curieux où l'on rencontrait pêle-mêle des flics de la brigade antiterroriste et des barbouzes accompagnateurs pour les personnalités en visite. Ransom avait été affecté à la brigade antiterroriste. C'était le spécialiste en matière de faux curés et de dingues antipapistes dont il connaissait les photos par cœur. Ce jour-là, il avait commencé par inspecter l'entrée principale de la chapelle des Nations Unies, puis s'était lentement déplacé en direction de l'autel, fixant au passage chacune des cent soixante-seize personnes présentes. Dans ces cas-là, on ne trouve jamais rien, évidemment. Ce n'était qu'une simple mesure de sécurité entre mille. Mais, ce jour-là, quelque chose fit tilt dans sa tête. Ransom continua tranquillement à marcher jusqu'à la sortie; une fois dehors, il dit à son chef : « Troisième rangée sur la gauche, un prie-Dieu dans les allées transversales, costume noir, cravate à rayures rouges. »

Puis il traversa la rue et resta là à admirer son sang-froid, cependant que deux détectives faisaient discrètement entrer le suspect dans une voiture. Au poste, on trouva une fiole d'acide sulfurique dans la poche de son veston.

Ransom fut cité à l'ordre de la brigade et reçut même une lettre personnelle de félicitations émanant du chef des services de sécurité du Vatican.

Trois semaines plus tard, une promotion le fit passer des obsédés ecclésiastiques aux poseurs de bombes. Il vida donc son cerveau de toutes les photos des dingues antipapistes (qui remplissaient à elles seules quatre armoires métalliques) et y engrangea une nouvelle fournée de têtes de subversifs, tous membres des Weathermen et de l'Armée de Libération Noire. Il travaillait incognito avec un flic noir qui s'appelait Herb Martle. Pendant leurs heures de service, Martle était animé du même état d'esprit que Brech à présent, c'est-à-dire qu'il ne se concentrait que sur le boulot et sur rien d'autre. Mais, quand ils étaient quelque part tous les deux, dans une boîte par exemple, il se mettait à chanter et à swinguer. Il osait prétendre qu'il aurait pu devenir un James Cagney noir et disait qu'il n'aurait jamais dû être flic. Il détestait l'A.L.N. « Faut tous les flinguer, mec; pour la sécurité des braves citoyens. Ouais, tous les buter, tu vois ce que je veux dire. » Il avait un fils de dix ans qu'il élevait tout seul. Sa femme, une alcoolique, l'avait quitté : « ... tout pour mon gosse, mec ».

Une fois, ils s'étaient rendus à l'hôpital Saint-Vincent pour aller faire une visite à un autre flic du service qui travaillait lui aussi en clandestin et s'était fait larder de plusieurs coups de couteau, au coin d'une rue, à Harlem.

— De la façon dont je vois les choses, moi, je serais plutôt un anticorps blanc.

Ransom s'était mis à rigoler.

— Pour moi, t'as plutôt l'air d'un anticorps noir.

— Mais non, écoute; mon job, c'est de guérir, c'est

ça, non? Éliminer les microbes du corps social, le débarrasser de tous les germes nocifs et des virus malfaisants, toujours d'accord? Bon, quand les anticorps échouent dans leur boulot, la blessure s'agrandit, le mal s'aggrave et, tôt ou tard, il faut faire quelque chose de violent pour en venir à bout : il faut « amputer »...

Ils étaient assis sur une espèce de banc en bois. Des infirmières en blouse blanche passaient devant eux en poussant des brancards. Herb était un anticorps blanc et la violence un échec.

Un mois plus tard, ils s'étaient retrouvés dans un sale coin de Harlem avec cinq Noirs. Quelqu'un avait alors dit quelque chose de pas bien, et deux minutes plus tard la main de Ransom ressemblait à un steak haché et Herb Martle gisait au sol, saignant à mort d'une balle reçue en pleine poitrine.

Ransom adopta son fils.

Un an après ça, Ransom, mains en l'air, nu jusqu'à la ceinture, entrait dans une maison de Staten Island par la porte de service : là-dedans un Portoricain nationaliste de dix-huit ans tenait en échec, avec une mitraillette israélienne Uzi, les quarante-cinq flics qui avaient encerclé la rue. Le jeune type avait accepté que Ransom vienne parlementer avec lui. Quand ils envoyèrent les gaz lacrymogènes, Ransom sauta sur la mitraillette et sortit de là, son bras passé autour de l'épaule du garçon; personne ne put jamais dire si c'était Ransom ou les gaz qui l'avaient fait se rendre. Quand les journalistes demandèrent à Ransom de quoi il avaient parlé, il avait répondu : « De pêche ». Peu de gens crurent cette blague. Pendant les quelques années qui suivirent, Ransom acquit une solide réputation pour son art de maîtriser les dingues — ceux qui posent des bombes, qui sautent par les fenêtres, ceux qui balancent de l'acide, tous ceux qui commettent des crimes pour d'autres motifs que celui de se faire du fric.

Le *Daily News* lui consacra un long article, citant un détective anonyme qui disait de lui : « Il les comprend. Quelquefois, j'en viens même à penser qu'il les aime. » Selon le journal, le détective interviewé s'était bidonné en faisant cette déclaration.

Les yeux de Ransom se posèrent à nouveau sur la fenêtre

du quatrième étage. Il la fixa tranquillement pendant une minute, et c'est alors que Brech lui dit :

— Vous êtes en train de vous demander comment la sortir de là, n'est-ce pas...?

— A vrai dire, répondit Ransom, en grimaçant, je ne pensais pas du tout à ça. Je pensais à cette réunion de parents d'élèves où je devais aller avec ma femme, ce soir. Elle déteste ce genre de rencontres. Ce soir, il faudra qu'elle y aille sans moi.

CHAPITRE V

Alors, quand j'ai eu fini le bouquin, j'ai attendu le retour de ma camarade de chambre, l'explosive Janet, et je lui ai demandé de me parler de Bobby French.

— Ouais, je le connais.

— Comment il est?

— Étrange.

— Que veux-tu dire par « étrange »?

— Étrange, quoi!

— T'as déjà couché avec lui?

— Aizy, je ne couche pas avec n'importe qui.

— D'accord, mais as-tu déjà couché avec lui?

— Non, je ne couche pas avec des Noirs. Je n'ai rien contre eux. Simplement, je ne couche pas avec eux.

Elle était en train d'enlever son jeans. Elle avait vraiment un corps magnifique.

— Pourquoi me demandes-tu cela?

— Je viens de le rencontrer. Je me posais des questions, c'est tout.

— Où l'as-tu rencontré?

Elle s'en fichait royalement. Elle avait relevé ses cheveux en chignon sur le haut de sa tête et se regardait dans la glace.

— Ici. Il est venu ici.

— Sans blague! dit-elle en me jetant un coup d'œil dans la glace.

— Ouais.

— Eh bien, demande plutôt à Alice de te parler de lui.

— Alice Baskin?

Elle hocha la tête affirmativement.

— Pourquoi elle?

— Elle est allée chez lui. Elle dit qu'il est dingue et très étrange.

Alice Baskin est une licenciée d'histoire qui habite au même étage que nous.

— Il l'a emmenée chez lui à Noël. Elle m'a dit qu'à la minute même où elle avait franchi sa porte elle a compris pourquoi il l'avait invitée.

— Et pourquoi?

— Parce que c'est une Noire. Elle m'a dit que son père est juge et que tous ses amis sont des Blancs; ils ont une grande maison de style colonial dans un quartier blanc; il a un frère cadet qui fréquente une école privée pour Blancs, et ils ont une cuisinière blanche, une bonne blanche, et elle m'a dit que tout ce tableau de famille faisait très schizo à voir. Elle a dit aussi que French l'avait emmenée chez lui pour se servir d'elle comme d'une arme dirigée contre son père. Elle m'a dit aussi que sa mère n'est qu'une pauvre petite vieille dame timide, trottant par toute la maison en essayant de se rendre la plus inaperçue possible.

— Combien de temps est-elle restée là-bas?

— Sa mère?

— Pas sa mère, abrutie!

— Je ne sais pas. Quelques jours, je pense.

— Que t'a-t-elle dit d'autre?

— Oh! simplement que le père de Bobby avait été très gentil avec elle, très poli, quoiqu'elle ait eu l'impression, comme je te l'ai dit, que Bobby se servait d'elle. Elle m'a dit que, quand ils étaient seuls, il n'arrêtait pas de lui parler de son peuple. Je lui ai demandé : « Que veux-tu dire par "son peuple"? » Elle m'a répondu : « Ses ancêtres, ceux d'Afrique ».

— Ceux d'Afrique?

— Elle a dit qu'il n'arrêtait pas de la tanner en lui parlant d'eux, et mon peuple par-ci, et mon peuple par-là, lui racontant qu'ils crevaient tous de faim, ne se nourrissant que de racines et de sauterelles.

Elle dénoua ses cheveux, se mit au lit et remonta le drap sur elle.

— Que t'a-t-elle dit d'autre?

— Je ne sais pas, Aizy. Rien d'autre. Elle n'a pas réussi

à le faire parler d'autre chose. Elle a dit qu'elle lui avait demandé de lui parler de son père, de sa mère et de ce qui se passait à Detroit. Mais lui, il gardait tous ses secrets pour lui, un vrai mystère. Oui, il gardait tout bien fermé en lui, tout sauf cette foutaise à propos de son peuple.

— Pensait-elle vraiment que ce n'était que de la foutaise?

— Je ne pense pas qu'elle croyait que ce n'était que de la foutaise, Aizy. Elle trouvait seulement qu'il la tannait un peu trop avec son obsession. Ne crois-tu pas qu'à partir d'un certain moment toutes nos obsessions ne sont que de la foutaise?

— C'est possible.

— Il faut que je dorme maintenant.

Puis elle a éteint sa lampe.

Le lendemain matin, à 7 heures, je suis allée jusqu'à la chambre de French. J'étais pieds nus, l'herbe était encore fraîche et humide, et il n'y avait pas un chat dehors sauf les écureuils et quelques étudiants en technologie supérieure. Dans ce secteur-là de l'université, les résidences étaient quasiment toutes bâties en vieux style gothique, avec leurs gargouilles en haut des toits et leurs grosses façades luisantes. La résidence de Bobby ne comportait qu'un seul étage. C'était un bâtiment neuf, en briques; pour qu'il s'harmonise un peu avec les autres, on y avait posé des fenêtres à croisillons de cuivre. Ça faisait penser au rejeton d'une cathédrale du XIIᵉ siècle, violé par l'architecture moderne des Holiday Inns. L'intérieur était tout aussi affreux.

French avait épinglé une carte de visite sur sa porte : « Robert Francis French ». J'ai passé mes doigts sur la carte imprimée en relief. Très érotique. Puis j'ai frappé à la porte.

Je pensais qu'il devait encore dormir, qu'il m'ouvrirait la porte avec des yeux mi-clos et tout furax. Mais il était en jeans, un jeans propre, et avec un pli, s'il vous plaît! Vous avez déjà vu ça, un jeans repassé! Quand je suis entrée, il finissait de déplier une chemise bleue qui sortait tout droit de chez le teinturier, toute propre. Sa peau, qui me fit penser à du coton blanc lavé et relavé des centaines de fois puis séchée au soleil, me parut si lisse, si douce, si fraîche que j'aurais voulu m'enfouir le visage dedans.

— Tu as lu le livre? me demanda-t-il

Il vivait seul dans une chambre à un lit. C'était plutôt rare les chambres à un lit, on les réservait pour les zazous bizarres.

— Ouais, j'ai lu.

Il fit tourner l'espagnolette pour entrouvrir la fenêtre; on sentait l'air frais qui passait. Je m'étais assise dans un vieux fauteuil en cuir noir dont un accoudoir était troué.

— Comment se fait-il que tu vives seul?

Il se tenait près du bureau, brossant ses cheveux devant la glace.

— Pourquoi pas?

— Ça ressemble à un motel, ta résidence.

— Quand j'ai emménagé, je ne voulais pas piauler avec un étudiant noir, et les Blancs que je connais ne voulaient pas non plus piauler avec moi. C'est alors que j'ai changé d'avis, mais il était trop tard pour avoir autre chose qu'une piaule à un lit. Que penses-tu du bouquin?

— C'est un type intéressant. Pourquoi as-tu changé d'avis?...

Il était assis sur le lit et commençait à enfiler ses chaussettes. Ses pieds étaient longs, fins, beaux; on aurait dit que ses orteils allaient venir jusqu'à vous et vous enserrer.

— ... Une sorte de retraite au couvent... C'est une longue histoire.

Je fis quelques pas dans la chambre; sur son bureau, j'aperçus une grande photo dans un cadre argenté : deux personnes âgées étaient assises sur un divan blanc face à une peinture représentant un autre couple noir et leur enfant. L'homme sur le divan portait un col dur et un costume noir.

Il avait un air qui me disait quelque chose. La femme portait une robe longue, avec une rangée de perles autour du cou.

— Ils ont l'air sympa, ai-je dit.

— Alors, que penses-tu du livre?

— Qui est-ce?

— Mes parents. (Il se rapprocha et s'assit à côté de moi.) L'enfant peint sur la toile est l'homme qui se trouve sur le divan : c'est mon père.

— Le juge.

— Exact.

— Hé! tu sais, je l'ai vu ici une fois! Vous vous promeniez tous les deux du côté de la chapelle. C'était l'été dernier, pendant les vacances. Je vous ai dépassés et tu ne m'as même pas adressé la parole, sale con!

— Je ne me souviens pas. Dis-moi ce que tu penses du bouquin.

Il retourna s'asseoir sur le lit et enfila une paire de mocassins de cuir de chez Gucci. Sa façon de me snober semblait parfaitement s'accorder avec le style de ses mocassins, si vous voyez ce que je veux dire. J'avais l'impression qu'il se jouait un rôle, comme au ciné, le bel et fort étalon noir et la petite jument blanche. En d'autres termes, il voulait me mettre dans la peau d'une Noire.

Il m'observait pendant que je scrutais la photo.

— L'homme du tableau était mon grand-père. Il conduisait un camion et faisait des livraisons de briques et de ciment à Phoenix. C'est son voisin qui a peint cette toile et qui lui en a fait cadeau. Le grand-père de mon grand-père était esclave, en Alabama; c'est là-bas qu'ils nous ont donné ce nom, French. Il était originaire du Mali, plus précisément d'une région du Sahel, au sud du Sahara.

Il avait enfilé ses mocassins et il était debout, face à moi, tout près de moi, me fixant droit dans les yeux, me défiant.

— Le Sahara gagne sur le Sahel au rythme de 40 kilomètres par an. Tout le pays est en train de se transformer en désert.

Mon dieu! devinait-il ce à quoi je pensais?

— Là-bas, des parents à moi, des cousins à moi se nourrissent d'insectes et de grenouilles.

Il se détourna de moi, avança de quelques pas et vint se rasseoir sur le lit. Je me sentais gênée. Puis je lui ai demandé :

— Vas-tu aussi devenir juge?

— On ne peut pas dire cela, il faut faire beaucoup de politique. Mon père est un des premiers juges noirs du Michigan. Je croyais que devenir juge était ce que je voulais être. Maintenant, je n'en suis plus si sûr.

— Pourquoi pas?

Il poursuivit :

— J'ai fait tout un numéro de politique bon ton, quand j'étais au lycée. J'étais même président de l'association des étudiants de terminale. C'est d'ailleurs grâce à cela qu'ils m'ont pris ici, et aussi parce que j'étais bon nageur et bon orateur. Il n'y a pas tellement de nageurs noirs. Tous mes frères sont des plongeurs nés...

Je m'étais assise de nouveau dans mon fauteuil; il commençait à m'énerver. Je ne sais pas pourquoi. Il était si sûr de lui, si supérieur : un macho noir, si vous voyez ce que je veux dire. Il avait la grosse tête, quoi. J'avais l'impression que j'allais exploser.

— Sais-tu ce que j'ai fait? me demanda-t-il, en souriant du bout du lit où il était assis.

— Quoi?

— Je dirigeais le comité des conférences et j'ai organisé un débat avec les terminales de Hoskins — une école privée de Detroit — en m'arrangeant pour que le sujet du débat traite de la théorie du professeur Shockley, en vertu de laquelle les Noirs sont génétiquement moins intelligents que les Blancs. Connais-tu cette théorie?

— Ouais.

— Ne m'ayant jamais vu, les potaches de Hoskins ne savaient pas que j'étais noir. Quand ils m'ont vu, ils en sont devenus tout blancs, ne sachant plus s'ils devaient partir ou rester. Mais ils sont restés. Alors, j'ai commencé : « Les Noirs, donc, sont moins intelligents que les Blancs... », et moi, j'ai démontré cette thèse...

Je me suis mise à rire.

— Qu'est-ce qui est arrivé?

— J'ai gagné, m'a-t-il dit en me faisant une large grimace qui découvrait toutes ses dents.

— Donc, tu as perdu.

— Exact.

— C'est complètement dingue.

Il se mit à chercher quelque chose sous le lit et en retira une grande enveloppe.

— Jette un coup d'œil là-dessus.

Je pris l'enveloppe et l'ouvris. A l'intérieur se trouvaient des photocopies de feuillets dactylographiés couverts de cachets officiels avec inscrits dessus les mots : SECRET ET CONFIDENTIEL. En haut du premier feuillet, on pouvait lire ceci : « Ce rapport comporte vingt-quatre pages. Celui-ci est la copie n° 35 des trente-six exemplaires qui en ont été établis. » Tout en examinant le document j'y vis des schémas, des graphiques et des tas de formules mathématiques. En haut de chaque feuillet était apposé un cachet stipulant : « Il est formellement interdit à toute personne recevant ces rapports de les communiquer à d'autres membres du Projet sans autorisation spéciale, même s'ils appartiennent au même laboratoire. »

Je repris le premier feuillet et j'en lus le premier paragraphe : « L'objectif de ce projet est de produire une arme militaire pratique sous la forme d'une bombe... »

Je levai les yeux vers French. Il me regardait en ricanant, toujours assis sur le lit.

Au bas de la page, il était écrit : « Ce document contient des informations relatives à la défense nationale des États-Unis. En application du décret d'espionnage U.S.C. 50-31 et 32, sa diffusion ou la révélation de ce qu'il contient, par quelque moyen que ce soit, à une personne non autorisée, est interdite par la loi. »

Je dis :

— Est-ce bien ce à quoi je pense?

— Oui.

— Comment te l'es-tu procuré?

— Je l'ai eu pour 2 dollars et 6 cents. On adresse la somme au gouvernement et il vous l'expédie par la poste.

— Tu veux dire que c'est aussi simple que ça...

— Je le dis, aussi simple que ça.

Je relus de nouveau les feuillets :

« Avant la mise à feu, les composants actifs doivent être disposés de telle sorte que...

« L'énergie ainsi obtenue porte les matériaux à très haute température, ce qui produit une forte pression et tend donc à provoquer une explosion.

« Quant aux effets que cela pourrait avoir sur l'agglomération évacuée, ils dépendent de...

« Étant donné que l'impact de destruction dépend de la quantité d'énergie libérée, notre solution est tout simplement de...

« Afin de prévenir les risques d'une mise à feu anticipée, il sera donc nécessaire de...

42

« Quant aux dangers potentiels de la masse explosive de la bombe, on pourra les limiter en utilisant un matériel contenant des.. »

Je levai les yeux. Bobby se mit à rire en voyant l'expression de mon visage.

— Ne t'inquiète pas, me dit-il, ce n'est plus top-secret. Quand le gouvernement a su que les Soviétiques avaient la bombe, il a levé le secret. Ils ont cru que les Soviétiques constituaient la seule menace. Ils ne se sont pas souciés de savoir si un zozo, disposant d'un laboratoire dans une cave... Regarde ici...

Il vint vers moi, prit le rapport et me fit lire une petite note rédigée en italique sur le premier feuillet. Elle disait que le gouvernement déclinait toute responsabilité en ce qui concernait « la fiabilité de toutes les techniques, engins, produits ou procédés contenus et définis par le présent rapport ainsi que les conséquences éventuelles de leur divulgation publique ».

J'ai dit :

— Comme ça, si on tente l'expérience et que ça rate, nous ne pourrons pas poursuivre le gouvernement, n'est-ce pas?...

Nous avons éclaté de rire. Il est allé s'asseoir sur le lit et m'a dit :

— Viens là.

Il me faisait un peu peur, mais je me suis rapprochée du lit. Dehors, la pluie s'était mise à tomber par paquets. Je me souviens que ce jour-là était un mercredi parce que je n'avais seulement que deux cours à suivre en fin de matinée, pas de T.P., pas de révision en laboratoire, rien d'obligatoire en fait. Mais on était au début du mois de mai, à un mois à peu près des examens. J'aurais dû être à la bibliothèque en train de finir ma thèse. J'aurais dû être en train de travailler. Mais j'étais là, assise sur un lit avec ce Noir qui voulait que je lui fasse une bombe atomique.

Il m'a dit :

— Penses-tu que si je sèche mon premier cours, cela puisse nous mener à quelque chose...

Quand je me suis réveillée, il était parti.

CHAPITRE VI

La moitié des hommes qui se trouvaient dans le bar portaient leur chemise sport sur leur pantalon, et la plupart d'entre eux étaient des pompiers. La taverne du Chien Rouge est située juste en face de la caserne de pompiers n° 52 et du poste de police n° 124. On était mercredi, le jour du rosbif, c'est-à-dire jour où l'on pouvait manger dans cet endroit sans risquer d'en crever. Toutes les tables étaient pleines; rosbif en sandwich et bocks de bière. Dehors il pleuvait. Il avait plu des cordes toute la journée.

Pat Walsh était assis au bout du bar, près de l'entrée des cuisines; il voulait être seul. Quand il s'était marié, sa femme et lui avaient emménagé dans une maison que son beau-père possédait à Kew Gardens et qui ne se trouvait située qu'à une centaine de mètres de la taverne du Chien Rouge. En ce moment, il était le seul flic de toute la taverne qui n'appartînt pas au 124e corps de police.

Le père de sa femme était inspecteur en chef adjoint. Rien que d'y penser, en ce moment, ça lui donnait des douleurs d'estomac. C'était une chouette fille, sa femme, intelligente et belle. Il le savait. Comment aurait-il pu ne pas le savoir? Lui, Walsh, il était grand avec un nez droit, des yeux bleus et une masse de cheveux blonds qui ondulaient. Certains l'appelaient « l'Ami Fritz », et deux inconnus, dans le temps, l'avaient même appelé « le Pédé » — mais une fois, une fois chacun seulement... Ses fils étaient blonds eux aussi, des jumeaux de sept ans, intelligents, forts et beaux. Ils avaient tout pour eux.

Il fronça les sourcils, ses yeux firent le tour du bar puis il hocha la tête. Comment allait-il leur dire? Il ne pourrait pas, il ne pourrait *jamais*. Il n'avait pas le choix, il fallait qu'il trouve le moyen de s'en sortir. S'il avait eu d'autres collègues flics que ceux qui étaient les siens ou une autre famille que celle qu'il avait, peut-être aurait-il pu le leur dire et s'en sortir; mais pas avec sa femme, ni avec son beau-père, ni avec ses fils, non, avec eux, ça n'était pas possible.

Sa femme avait essayé. C'était une bonne catholique, comme sa mère à lui. Il y avait des jours où elle priait tellement qu'elle faisait à peine attention à lui. Elle l'avait dissuadé d'être inspecteur en tenue : « Tu vas te faire blesser, Paddy, ils vont te tuer, ça leur arrive tous. » Elle avait raison; ils n'étaient tous qu'une bande de voleurs pourris. Alors, il était resté au service des narcotiques, deux ans de planque et de clandestinité : « Tiens, mate le joli môme aux cheveux blonds ondulés, tout ce qu'il veut c'est renifler un peu de "coco" avec nous. Eh oui, mec, juste renifler », répondait-il. Et hop, bingo, il épinglait le mec : « Vous êtes en état d'arrestation! »

Il avait opéré à Harlem et aussi dans l'East Side. Il y avait des Noirs, des Cubains, des gosses d'âge scolaire, la Mafia. Son beau-père, l'inspecteur en chef adjoint, lui avait trouvé un job à Bossy, le Bureau des services spéciaux comme on l'appelait alors; son boulot aurait consisté à escorter des diplomates et des célébrités, à être une sorte de barbouze-garde du corps en cravate noire qui aurait mené la grande vie dans l'écume des riches et des puissants. Il aurait été parfait pour ce rôle. Mais il avait refusé. C'étaient pas des flics. Lui, il voulait épingler les mecs, alors il était resté aux Narcotiques. Ils l'avaient finalement sorti de la clandestinité et affecté à l'U.R.S., l'Unité des Recherches Spéciales, un corps d'élite qui travaillait sur les durs de la Mafia.

Il regardait son sandwich au rosbif et son bock de bière.

Il n'avait jamais rien volé jusqu'ici. Un jour, il était assis devant une table d'écoute, dans le sous-sol d'une maison de Garden City : « ... Hé! Sally, t'es O.K., Sally? — Ouais, ouais, je suis O.K. — Le chien va mieux. — Ah ouais, c'est chouette ça! — Il rentre de chez le vétérinaire demain soir aux environs de 9 heures. — Bien, bien, c'est très bien! Ton gosse va être content de l'avoir à nouveau à la maison... — C'est sûr, bon, salut! — Ouais... »

Le « clic » d'un téléphone qu'on raccroche. Sally, c'est Salvatore Evola, un trafiquant d'héroïne notoire; le type qui l'appelle, c'est un autre Rital qui a un garage sur Queens Boulevard. Le lendemain soir, à 21 h 30, Paddy Walsh et son collègue sont sur les lieux; ils cernent le garage et ils tombent sur 20 kilos de came juste au moment où les Ritals étaient en train de les acheter cash, vente directe...

Pat avait regardé tout ce fric : des paquets et des paquets de billets de 100 dollars entourés d'élastiques. Il avait pensé à sa maison (qui appartenait à son beau-père), à l'université pour ses fils, à sa femme qui travaillait dur, à une Mustang bleue toute neuve dont il rêvait. De toute façon, son collègue était partant pour le coup. De toute façon, même s'il avait refusé de prendre le fric, il ne pouvait pas donner son collègue... Alors, il a pris sa part du fric et il s'est tiré.

Il y avait combien de temps de cela? Trois ans. Et puis, son collègue s'était fait piquer sur un autre coup; des collègues l'avaient passé à tabac, il avait flanché, et le nom de Paddy lui avait échappé. Plus tard, il s'était suicidé en se faisant sauter la cervelle. Mais, pour Paddy, ça n'avait servi à rien, c'était trop tard. Le procureur l'avait mis en accusation : il était cuit. C'était un truc illégal de s'être branché sur le téléphone de Sally, cette fameuse nuit-là. C'est par là que le procureur le tenait; sur quel autre téléphone avaient-ils branché leur système d'écoute, qui d'autre avaient-ils volé, et avec quels autres complices? Walsh avait tout avoué, mais sans donner les noms de ses autres collègues impliqués, quand bien même le procureur était décidé à briser leur carrière, ayant des soupçons contre eux. Mais il n'avait pas donné leurs noms, non, il n'avait pas donné ses copains.

Pat Walsh finit sa bière et en commanda une deuxième au barman en hurlant presque. Le barman s'exécuta. Maintenant, il ne lui restait plus qu'un mois, deux peut-être. On était le 10 mai. Au mois d'août, à coup sûr, le grand jury confirmerait sa mise en accusation et ça serait publié dans les journaux. Patrick Walsh, mari d'une femme adorable, père de deux merveilleux enfants et dont le beau-père est un officier supérieur de police, Patrick Walsh EST UN VOLEUR ET UN TRAITRE.

Des larmes lui vinrent aux yeux. Non, il ne pouvait pas laisser une pareille chose se produire.

Il fallait qu'il trouve un moyen de négocier, une monnaie d'échange, *comme dans les Narcotiques :* jouer le jeu des camés, des junkies, c'est-à-dire leur donner un plus gros revendeur contre un petit revendeur, un très gros revendeur contre un gros revendeur, etc. Les petits poissons se font toujours bouffer par les gros. Mais, dans cette jungle, il n'y avait aucun poisson assez gros pour servir de monnaie d'échange à un flic qui avait empoché 100 000 dollars de deux gros trafiquants d'héroïne. S'il avait pu aller trouver le procureur et lui dire : « Je suis sur le plus gros coup depuis l'invention du crime ; tirez-moi de la merde où je me suis mis et en échange je vous donne tous les tuyaux de ce gros coup... » Mais le procureur aurait rigolé. Où aurait-il pu trouver un aussi gros poisson ?

Paddy Walsh croisa ses bras sur le comptoir du bar, s'appuya la tête dessus et resta assis là, semblable à un ivrogne. Il devait soit déposer son bilan — c'est-à-dire se faire sauter la cervelle d'une balle, comme un homme, et crever avec sa honte —, soit tenter le gros coup. Mais c'était presque sans espoir. Quand bien même remuerait-il ciel et terre, que pouvait-il espérer découvrir ? Quelle marge d'espoir lui restait-il ?

CHAPITRE VII

La porte de la chambre s'ouvrit. Aizy arrêta le magnétophone.

— Stoop, tu ne devrais pas...

— Ça va, je me sens bien.

Il s'était enveloppé dans un drap. Le sang de son pansement était devenu presque noir.

— Comment te sens-tu?

— Ça va, je te dis.

Il se laissa tomber sur une chaise.

— As-tu pris quelque chose?

— De la Benzédrine.

— Tu devrais aller te recoucher.

— Et laisser ces fils de pute entrer ici et m'épingler dans le lit...

C'est alors qu'elle remarqua le revolver qu'il serrait dans une main.

— Ils vont me tuer, dit-il, je ne suis pas con, je le sais, mais je ne vais tout de même pas attendre qu'ils viennent tranquillement me tuer dans un lit, bordel!

Il appuya sa tête sur le dossier de la chaise.

— Bon, alors reste là, dit Aizy.

Il était devenu silencieux.

— Est-ce que tout va bien? demanda-t-elle.

Il s'était endormi.

Elle remit le magnétophone en marche et reprit son récit en parlant doucement dans le micro :

Voyons, où est-ce que j'en étais? Ah oui! je me suis réveillée, et Bobby était parti. J'étais couchée dans son lit, j'étais en sueur et je mourais de faim. Je ne savais pas l'heure, mais il ne devait pas être loin de midi. J'avais un rendez-vous pour du boulot à 3 heures. Je détestais ce genre de choses.

La veille, j'avais rencontré ce type en veston sport vert et en chemise brune. Il m'avait dit que sa société me donnerait une bourse pour achever mon doctorat. « Et nous vous promettons une place dans notre équipe de fabrication des réacteurs à neutrons rapides à eau légère. » Je lui ai dit que j'aimerais beaucoup travailler dans une équipe de « rapides », mais il n'avait même pas souri. Il avait des cicatrices de boutons d'acné sur la figure et une alliance au doigt.

« Nous produisons des réacteurs à sels fondus et refroidis au gaz. Nous sommes en avance sur tout le monde. » Merde, vous voyez le genre! Je me demandais bien à quoi pouvait ressembler sa femme.

Je cessai de penser à ce chasseur de matière grise et je décidai que je ne voulais pas que Bobby me trouve dans sa chambre quand il reviendrait. Je ne voulais pas qu'il croie que je m'installais. C'était un type sexy et je l'aimais beaucoup, mais il était un peu étrange et il me faisait peur. Quand nous étions au lit, il m'avait demandé pourquoi j'avais des cicatrices sur le bras; quand je lui ai dit que je m'étais entaillée moi-même, il les a embrassées et il m'a dit qu'il les considérait comme des médailles de résistance. Ça me gênait assez cette sorte de patriotisme sentimental. J'ai dit que ça faisait de moi une suicidaire, une dingue, quoi. Il a dit que non, que ces cicatrices étaient des décorations et qu'il me les enviait. J'ai essayé de plaisanter pour lui enlever de la tête ses idées étranges, mais il n'a rien répondu. Je pense que c'est à ce moment-là que je me suis endormie.

De toute façon, je ne voulais pas être là quand il reviendrait. Je me suis levée pour m'habiller, c'est alors que j'ai vu cette petite boîte en bois brun ciré sous sa table de chevet. Sur le dessus de la boîte, il y avait une plaque en or avec ses initiales gravées dessus : R.F.F. Je l'ai ouverte; elle était pleine de cigares. J'ai respiré le parfum agréable, fort, mais bon, érotique, qui s'exhalait de la boîte. Les bagues de chaque cigare portaient en toutes lettres : Montecristo — Habana. Je croyais que l'importation de cigares cubains était interdite ici. Je regardai de nouveau la photo de famille sur le bureau. J'aimais ce couple. Ils étaient vieux, bons et forts.

Des piles de livres s'entassaient au pied du fauteuil de cuir. Rien d'original. Une masse de bouquins d'histoire, Dante et aussi quelques bouquins sur la littérature française contemporaine. Je pris un livre de poche, dont la couverture était orange et blanche, de couleur vive : *Vol de matériaux nucléaires : risques et garde-fous*. C'était un ouvrage écrit en collaboration par un certain Mason Willrich et ce fameux Ted Taylor auquel McPhee avait consacré son bouquin. Je me suis assise sur le fauteuil et j'ai lu le début de la première page. French y avait souligné la citation suivante : « La conception et la fabrication d'une bombe atomique d'un modèle simple n'est plus une chose impossible... » Décidément tout le monde croyait que c'était facile à faire. Je parcourus au hasard quelques pages; d'autres phrases y étaient soulignées : « On peut y arriver en utilisant des matériaux et un appareillage que l'on peut se procurer dans une quincaillerie ou chez les fournisseurs de matériel scientifique des laboratoires d'université. »

Plus loin : « Il est difficile d'exclure l'hypothèse de terroristes décidés cherchant à se donner les moyens de fabriquer une arme nucléaire de façon artisanale... » Je pensai combien cela était effrayant; j'étais assise là, près de la fenêtre, l'air frais pénétrant dans la chambre, à regarder la pluie, l'herbe; je ne voulais pas m'en aller mais je savais qu'il pouvait revenir à tout moment. Je me suis souvenue de quelque chose que j'avais lu deux ans auparavant, dans le *Daily Princetonian*. Au moment de la rentrée universitaire, quand les clubs choisissaient les étudiants de deuxième année pour former les tables au restaurant universitaire, un Noir de deuxième année avait été invité par le Club Ivy. Cet étudiant avait refusé. L'histoire avait fait beaucoup de bruit. Cette association, le Club Ivy, c'est la plus riche, la plus snob et la plus aristocratique de toute l'université, et Robert French, le Noir en question, était le premier étudiant de couleur à être convié à en faire partie. La revue de l'université avait donc rapporté ses propos dans cet article. Le *Princetonian* avait publié sa déclaration, il avait dit quelque chose

comme : « Je ne veux pas devenir un briseur de barrières sociales. Je suis ici en tant qu'individu, non en tant
que Noir. » Il déclarait en outre qu'il n'avait pas les réfé-
rences requises : « Je ne sais pas jouer au basket, je ne
me suis jamais fait mordre par un rat et je ne pique pas
de bouteilles d'alcool dans les magasins qui en vendent. »
Je crois même me souvenir que ses déclarations avaient
été reprises par les journaux de New York. On lui avait
même demandé de poser sa candidature à la présidence
de l'association des étudiants de son année, mais cela
aussi il l'avait refusé.

Je chassai Bobby de mon esprit et continuai à lire les
passages soulignés dans le livre. « Les organisations terroristes et les États non nucléaires risquent de devenir les
clients potentiels d'un marché noir. » Un marché noir
de bombes atomiques de fabrication artisanale! Je regardais fixement par la fenêtre. Je savais que je pouvais
fabriquer une bombe si j'avais du plutonium ou de l'uranium, et selon Taylor ce n'était pas un problème pour se
procurer l'un ou l'autre. Et si moi je pouvais le faire,
des quantités de gens pouvaient le faire aussi.

Puis Bobby est revenu :

— J'espérais que tu serais encore là.

— Je m'en vais. J'ai un cours.

Je me levai.

— Qu'en penses-tu?

Il venait d'apercevoir le livre que j'avais laissé sur la
chaise.

— Ça me fait peur!

Il flanqua quelques livres par terre et s'affala sur le
lit :

— Et si on en parlait?

Il regardait en l'air, comme s'il parlait au plafond. Il
m'avait baisée, non? Alors, maintenant, je n'étais plus
qu'une chose qu'on ne regarde pas quand on lui adresse
la parole.

— Je ne t'ai pas bien entendu, dis-je.

Il se redressa et sourit. A nouveau, il me rendait nerveuse.

— Qu'est-ce que tu regardes comme ça? dis-je.

— Tu es très jolie. Tu n'as pas l'air... A te voir comme

ça, à t'entendre parler, tu es vraiment jolie, tu n'as rien d'une chimiste.

— Et toi, tu n'as pas l'air négro.

D'un coup, le sourire disparut de son visage.

— O.K.! dit-il, puisque nous appartenons tous les deux à des groupes minoritaires opprimés, vas-tu m'aider à fabriquer une bombe?

— Bien sûr que non!

— Ce sera la chose la plus importante de toute notre vie...

Je m'assis dans le fauteuil.

— Qu'est-ce que tu veux en faire?

— N'as-tu pas compris le message, en lisant le bouquin. Taylor, en fait, supplie quelqu'un de fabriquer une bombe. Il sait que ça va finir par arriver un jour, de toute façon, et il sait également qu'il vaut mieux que ça arrive maintenant, pendant qu'il est encore possible de mettre en place des garde-fous. Si une bombe de fabrication artisanale parvient à exploser, cette expérience convaincra les sceptiques, et le Congrès prendra enfin cette question au sérieux. Ce n'est pas en parlant qu'on parviendra à les convaincre. Taylor lui-même n'y est pas parvenu. Ils lui disent tous, comme ça : « Oh! sûr, vous pouvez en fabriquer une, vous êtes un génie, on vous croit, vous êtes le premier à avoir allumé le feu rouge... »

— Je sais tout ça.

— Ça ne sert à rien de dire « je sais tout ça » et de regarder par la fenêtre. Qu'est-ce que tu veux dire par « je sais tout ça »? Il faut que quelqu'un se décide à faire quelque chose. Tu veux que n'importe qui se mette à fabriquer des bombes atomiques à gauche et à droite?

— Ne sois pas con!

Il se redressa sur le lit et se pencha sur moi. Il était plein de confiance en lui. Son argumentation se tenait d'autant plus qu'elle était soutenue par une foule de « grosses têtes ». Il savait qu'il pouvait arriver à me convaincre. Je le savais aussi.

— Ce que nous allons faire, c'est construire une bombe, la donner au gouvernement et les laisser se rendre compte par eux-mêmes si elle peut exploser ou non. Ils peuvent la faire exploser sous terre. Avec tous les trouillards qui brailleront dans les journaux, ils seront forcés de la faire exploser. Alors, quand ils constateront que ça peut exploser, ils auront la preuve... On passera à la télé en racontant comment nous serons parvenus à assembler cette bombe, dans un garage ou ailleurs. Alors le Congrès sera bien forcé de se magner le cul et de voter des lois garde-fous protégeant les stocks de plutonium et d'uranium...

Je ne voulais pas lui donner raison. Il était trop sûr de lui. Et puis, j'avais peur. Mais il a balayé ma peur en m'obligeant à la surmonter. Le plus important, c'était qu'il avait raison. Il fallait que quelqu'un fabrique une bombe et la fasse tester. Renoncer à tenter cette expérience maintenant pouvait entraîner des conséquences désastreuses. Et puis, c'était tellement excitant l'idée de faire ça, de fabriquer une bombe atomique et d'être convaincue que nous avions raison de le faire...

— Où pourras-tu te procurer les matières fissibles, le plutonium ou l'uranium ?

— J'ai un ami, dit-il. Tu n'as qu'à me dire ce dont tu as besoin.

— Moi aussi, je peux me les procurer. J'ai fait pas mal de recherches sur les réacteurs d'expérimentation et Elkins, mon maître de conférences, peut y avoir accès quand il veut. Il y a un groupe de chercheurs, à New York, qui travaille avec plus de 50 kilos de plutonium ; ils passent leur temps à démonter puis à réassembler les éléments fissibles et je pourrais facilement...

— Oublie ça, Aizy. Nous nous occupons de ça. Dis-moi seulement ce dont tu as besoin.

— Ouais, mais comment vas-tu trouver ça, bon dieu ? Ça serait tellement plus facile si je...

— Aizy, je te dis qu'on s'en occupe. Qu'est-ce que tu veux ?

— Désolée, Bobby, mais dans ce cas je ne veux pas avoir affaire avec ta bombe. Si tu fais de l'appropriation des matériaux une question d'honneur, un exploit de macho viril, alors cela ne me concerne plus.

C'était bien le fils d'un juge — noir et riche. Et il commençait à m'emmerder avec son besoin racial, social et freudien de vouloir se prouver à lui-même qu'il était quelqu'un !

— Sois pas vache, Aizy. Je te répète : « De quoi as-tu *besoin?* » c'est tout. Il n'y a pas de problème. J'aurai le matériel.

Je quittai Bobby et retournai à ma chambre. Pendant les trois jours qui suivirent, je repensai à tout ce qui venait de se passer. Bobby avait raison, tout comme Taylor et Willrich, les types qui avaient écrit le bouquin en question. C'était facile de construire une bombe, et, un jour ou l'autre, quelqu'un en fabriquerait une et ferait sauter des centaines de milliers de gens. Mais, pour que le Congrès *y croie* et renforce sa législation dissuasive, il fallait réellement leur présenter une bombe artisanale qui marche. Les discours n'avaient servi à rien. J'avais lu tout ce qui s'était publié à ce sujet : les articles du *Los Alamos Primer*, les publications de la Section d'histoire du district de Manhattan, le *Plutonium Handbook* de Gordon et Breach, le *Reactor Handbook* de Wiley. Je me plongeai dans mes polycopiés sur les réacteurs. Ça ne serait pas difficile. J'en savais plus sur la question que n'en savaient les techniciens de Los Alamos quand ils avaient testé la bombe de Trinity, en 1945.

Nous pouvions faire soit une bombe à percussion explosive, soit une bombe à implosion. Peut-être ignorez-vous ce qui distingue ces deux types de bombes? La bombe à percussion exige un grand nombre d'éléments et de pièces mobiles d'assemblage pour être montée, et nous aurions besoin d'un tube de bazooka pour la rendre opérationnelle, d'un truc de ce genre en tout cas, ajouté au fait que nous devrions fabriquer certaines pièces nous-mêmes. Au contraire, la bombe à implosion demandait moins de matériel, étant plus facile à assembler, quoique j'aurais besoin d'un conteneur spécial, d'un four et d'une grande quantité d'explosifs sous forme de pains de plastic.

Nous obtiendrions une explosion plus puissante en montant une bombe à implosion. Si Bobby pouvait m'avoir 6 ou 7 kilos de plutonium, nous pourrions provoquer une déflagration susceptible d'atteindre une puissance d'environ 15 ou 20 mégatonnes — bien plus forte en tout cas que la bombe A d'Hiroshima. Tout bien considéré, ma préférence allait à la bombe à implosion.

Finalement, j'ai téléphoné à Bobby dans sa chambre.

— O.K.! nous allons fabriquer une bombe à implosion. Et je lui ai dit ce dont j'avais besoin.

— Parfait, a-t-il répondu, je t'aurai ça.

— Bobby.

— Ouais?

— Si je te demande quelque chose, tu ne vas pas te foutre en boule?

— Quoi?

— Où vas-tu pouvoir trouver tout ça?

— Aizy!

— Ne te fâche pas, Bobby. Ce n'est pas que je veuille m'en mêler, mais ça m'inquiète, c'est tout.

— T'en fais pas, Aizy. Tout va bien se passer. J'ai un ami qui sait où nous trouver ce qu'il faut. Il n'y a aucun problème.

— Qui est cet ami, Bobby?

— Un type que je connais, à New York.

— Un Noir?

— Ouais, un Noir.

— Où habite-t-il?

— Harlem. Aizy, ça va. Tout est O.K. Je suis content de voir que tu t'inquiètes pour moi. Je suis touché, mais ne t'inquiète pas. Tout est O.K.

J'ai raccroché, puis j'ai repensé à la question. Bobby partait pour Harlem et il allait se foutre dans la merde, c'était sûr.

CHAPITRE VIII

Un petit garçon noir de sept ans penché au-dessus d'une bouteille de Pepsi-Cola dans un snack de Harlem se tourna vers l'étranger qui était assis sur un tabouret, à côté de lui, et lui demanda sans enlever la paille de sa bouche :

— T'es un flic, toi?

— Non, répondit Bobby French et il avala son café assez nerveusement.

C'était la première fois qu'il venait à Harlem. La pigmentation de sa peau n'était pas tout à fait comme il fallait; bien sûr, c'était la bonne couleur, mais quelque chose clochait. Sa tenue n'était pas dans la « ligne ». A Harlem, même un Noir pouvait avoir l'air d'un Blanc.

Il avait peur des Noirs qui l'entouraient et il essayait de se redonner du courage en se disant qu'intellectuellement parlant il leur était supérieur. Et puis, surtout, il n'ignorait rien de son héritage racial, lui. Que lui répondraient tous ces Noirs s'il leur demandait : « D'où venez-vous? » Du New Jersey? de Georgie? Et que dirait ce petit gosse, assis à côté de lui, s'il lui racontait qu'en Afrique, dans le Sahel, au milieu de ce territoire plus vaste que l'intérieur des États-Unis et d'où ses ancêtres étaient originaires, des centaines et des centaines de milliers de Noirs étaient en train de crever de faim?

French regarda la serveuse. Elle paraissait avoir la cinquantaine, était petite et grosse. Une bande Velpeau lui enveloppait la jambe depuis la cheville jusqu'en haut du genou. Elle portait un petit tablier rose sur son uniforme de vinyle blanc brillant, ainsi que de toutes petites boucles d'oreilles d'or en forme d'insignes de la Paix. Si on avait pu entrer à l'intérieur de sa tête et y lire son passé, French se demandait ce qu'on aurait pu y trouver : combien de chagrins pour combien de bonheurs?...

Alors, intérieurement, en silence, French se mit à réciter la litanie solennelle qu'il se répétait souvent à lui-même, depuis quelques semaines, pour se donner confiance et soutenir ses décisions : « Birmanie. Burundi. Tchad. Mali. Yémen. Népal. Quarante nations crèvent de faim. Un demi-milliard d'hommes ont faim. A chaque minute quelqu'un meurt. 200 milliards de dollars dépensés chaque année pour les armements militaires. Les stocks de céréales du monde entier seraient épuisés en dix jours — dix jours entre maintenant et la famine générale. Si tous... »

L'apparition d'un Noir bien bâti interrompit French dans sa méditation. Un large béret de velours bleu cotelé retombait sur son oreille droite. Il avait le sourire le plus épanoui et le plus « blanc » que French eût jamais vu. L'homme traversa le snack, s'approcha de French et posa une main moite sur sa nuque.

— Foutons le camp. T'es en train de boire du poison, tu sais ça?...

French chercha de l'argent dans sa poche pour payer. Le type dit :

— Ne paie pas, qu'elle aille se faire foutre!

Ils sortirent du snack et le type fit au revoir de la main à la serveuse, en lui décochant un sourire. Sur le trottoir, le blouson du type s'entrouvrit; passé dans sa ceinture, French remarqua le revolver — moite, noir, collé à même la peau nue du type.

Ils montèrent dans un break Ford Econoline. Collé sur les deux portes avant, un macaron portant la mention « Hertz-Rent-A-Car » indiquait qu'il s'agissait d'une fourgonnette de location. Le type prit le volant, son blouson toujours ouvert; on pouvait voir des gouttes de sueur couler sur sa poitrine.

— Comment ça va, Hank? demanda French.

— Pas Hank, vieux. J'arrête pas de te le répéter. Stoop. Faut m'appeler Stoop. Ça va bien, merci, et toi? T'as la trouille?...

Ils s'arrêtèrent à un feu rouge, à côté d'un autobus,

dans la 117e rue. Les gaz d'échappement des autres voitures et la chaleur de la ville s'engouffraient dans la cabine de la fourgonnette. Avait-il peur? Il n'avait pas fermé l'œil depuis trois semaines, exactement depuis le jour où il s'était arrêté devant le rayon des nouveautés dans les couloirs de la bibliothèque Firestone. Il avait les bras chargés de romans en vue de préparer un examen sur la littérature anglaise du XVIIIe siècle, des romans qu'il avait soigneusement évité de lire jusque-là, remettant sans cesse leur lecture à plus tard. Son regard tomba alors sur une couverture de livre représentant un mur de planches et de briques; on voyait, creusée dans ce mur, une fenêtre au travers de laquelle un soleil irradiait des rayons éclatants. Ce livre n'était pas épais; c'était *La Bombe chez vous*, le bouquin qu'il avait passé à Aizy. Il était posé sur une table, entre deux chaises. A côté se trouvait un autre livre : *La Perspective humaine*, de Robert Heilbroner; la couverture bleue de celui-là représentait Atlas portant la terre sur ses épaules; un livre pas bien épais celui-là non plus. La terre et le soleil. On aurait dit un couple — deux frères. Il avait pris le Heilbroner en premier, s'était assis sur une chaise et avait commencé à le lire. Quand il l'eut fini, il s'attaqua au McPhee, oubliant complètement son examen de littérature.

A 23 heures, soit sept heures plus tard, il avait achevé de lire les deux livres. Il en transpirait. Il comprit soudain — comme si un voile venait de se déchirer en lui — que ces deux livres, sûrement, n'avaient été écrits que pour lui transmettre le message. A présent, il comprenait exactement le sens de son destin sur la terre.

— ... la trouille, non. Pas vraiment.

— Parfait.

Stoop tourna à gauche, en direction du pont de Triborough.

— J'ai parlé à mon ami. Comme convenu, c'est toi qui devras faire la plus grande partie du boulot, parce que moi, je peux pas prendre le risque de me faire épingler en ce moment, tu piges?

Il détourna un instant son regard de la circulation pour dire à French :

— Tout se passera bien, tout ira bien. Il n'y a pas un

flic là-bas, pas un seul flic. Tout ce qu'il y a, c'est un vieux veilleur dans une cage de verre et qui fait que penser à ses rhumatismes. Ça ira, hein, ça ira?

— Ouais, répondit French, ça ira.

CHAPITRE IX

Le surveillant-chef des marchandises enleva ses chaussures et les posa sur son bureau l'une à côté de l'autre au-dessus de la boîte d'acier contenant la sonnerie d'alarme.

Il s'assit sur sa chaise et se massa les pieds en insistant particulièrement sur le talon droit. Il avait la sensation douloureuse que l'on avait cogné sur son talon droit avec une batte de base-ball. La veille, c'était dimanche, il avait passé six heures à marcher dans Central Park avec son fils de quatorze ans. Après cette promenade, il ne se sentait pas plus proche de lui qu'avant de la faire. Il ôta sa chaussette droite et essaya d'appuyer par terre la plante de son pied. Il grimaça. Il se demandait : « Que veulent-ils de moi? » Il jeta un coup d'œil sur la télévision témoin placée au-dessus de l'armoire à dossiers à l'autre bout du bureau. C'était une Sony grand écran de 45 centimètres.

Depuis son installation, il y a trois ans, et excepté les courtes périodes où on avait dû l'emporter pour la réparer, cette télévision ne lui avait jamais montré rien d'autre que l'image, en noir et blanc, et légèrement mouvante d'une porte. Cette porte, située en dessous du bureau vitré et surélevé du surveillant-chef des marchandises, permettait d'accéder à un bâtiment fortifié en béton qui se trouvait en face. Il y avait longtemps que la compagnie aérienne avait accepté de payer les 100 000 dollars annuels de prime d'assurance, pourvu qu'elle soit relativement sûre de la protection des marchandises spéciales de grande valeur entreposées ici. C'est pourquoi le bâtiment en question, appelé le Val Room, en plus de ses murs de 3 mètres d'épaisseur, blindés, résistants aux explosifs, équipés de sonneries d'alarme antichocs, était muni d'une

60

énorme serrure d'alarme Biggs-Hampton à cinq positions. La seule clef au monde à pouvoir ouvrir cette serrure se trouvait actuellement dans la boîte de la sonnerie d'alarme, juste sous les chaussures du surveillant-chef des marchandises. Si, lorsqu'on ouvrait la porte du Val Room, on introduisait la clef sur l'une des cinq positions autre que celle programmée pour la journée, une sonnerie d'alarme retentissait dans le bureau de police de l'aéroport. La porte pouvait quand même s'ouvrir et les voleurs entrer... Mais il était à peu près sûr que la police arriverait à temps pour être en mesure de les appréhender.

Dans le Val Room, une seconde chambre forte fermée à clef pouvait être ouverte rien qu'en appuyant sur un bouton qui se trouvait dans la boîte d'alarme, mais seulement si la porte extérieure était déjà refermée à clef. Les deux portes ne pouvaient s'ouvrir simultanément. Depuis l'arrivée du vol d'Air Afrique 192, à 10 h 28 ce matin-là, la chambre forte intérieure contenait une boîte de métal de la taille d'une machine à écrire, déposée là par la compagnie de diamants De Beers, de Johannesburg, et destinée à Harry Winston, de New York. Le contenu de cette boîte était assuré pour 750 000 dollars. La chambre extérieure abritait sept manteaux de zibeline qui attendaient que Bergdorf Goodman vienne les chercher, ainsi qu'un Cézanne de 40 Figures, entreposé dans une caisse en bois et qui était destiné à une galerie de la 57e rue; ce tableau de Cézanne arrivait de chez Christie, à Londres, qui n'avait pu obtenir le prix exigé pour sa vente : 900 000 dollars.

Ce matin-là, le surveillant-chef était particulièrement préoccupé par les manteaux de zibeline. En allant à son bureau, il s'était arrêté chez le chef de la sécurité pour signaler qu'une porte était cassée dans la zone barricadée des marchandises spéciales. Quelqu'un avait laissé la porte ouverte et un chariot élévateur l'avait arrachée de ses gonds. Les marchandises sous surveillance étaient des produits chimiques dangereux, des caisses de munitions et un tas d'autres choses du même genre; le surveillant pensait que le chef de la sécurité pourrait user de son influence pour faire réparer la porte en question. Il attendait à ce moment-là près du bureau de la secrétaire, situé entre le bureau de la sécurité et le bureau des douanes, quand

61

la porte du bureau des douanes s'était ouverte; il avait entendu alors des bribes de conversation. Le douanier de service disait au chef de la sécurité : « Ouais, bon, ils aiment les fourrures, c'est d'accord. »

Le surveillant-chef était maintenant assis à son bureau et il se frottait les pieds, inquiet de ce qu'il venait d'entendre. On jouait beaucoup à l'argent dans les parages et des trafics assez louches s'organisaient entre les camionneurs et les dockers. La Mafia opérait dans le coin. « Ils aiment les fourrures, c'est d'accord »?... Il espéra que cette journée n'allait pas lui réserver d'émotions fortes.

CHAPITRE X

Après avoir traversé le pont de Triborough, Stoop s'engouffra dans la file de gauche. Avec un grand sourire jusqu'aux oreilles et tout en hurlant des injures, il doubla comme un fou un taxi rose et noir dont les pare-chocs cabossés projetaient des étincelles aveuglantes dans cette chaleur vibrante.

— On va se garer dans un parking, à une vingtaine de mètres du quai d'embarquement, O.K.? Ensuite, tout ce que t'as à faire, c'est d'enjamber le quai et d'entrer dans le bâtiment comme si t'étais chez toi. Si quelqu'un t'arrête, tu dis que tu cherches la zone de livraison, O.K.?

— O.K.! dit French; il aurait bien voulu dire : O.K.! Stoop, mais ce surnom lui restait coincé dans la gorge.

Ils prirent le périphérique Grand Central jusqu'à Van Wick, puis ils bifurquèrent vers l'aéroport Kennedy. Des gouttes de sueur coulaient le long du visage de Stoop et formaient de petits lacs miroitants dans les poils de sa barbe non rasée depuis deux ou trois jours. Dans la fourgonnette, ça sentait la sueur, la chaleur et les gaz de voitures.

— A cette heure-ci, t'auras pas de pépins, il y a toutes sortes de types là-bas, dit Stoop. T'entres directement par le quai d'embarquement, d'accord? Au milieu des bâtiments tu verras un bureau de verre, c'est là qu'est le surveillant. Ne fais pas attention à lui. T'as aucun souci à te faire pour ça. Tu continues d'avancer et tu verras une grande bâtisse blanche, en béton...

Ils quittèrent l'autoroute menant à Kennedy et s'engagèrent dans une zone d'herbes brûlées, de buissons roux et de bâtiments de fret. Une Sedan bleu et jaune de la police de l'aéroport les croisa. French écoutait les instructions de Stoop qui connaissait les lieux; chacun de ses gestes était prévu :

— Quand t'auras la marchandise, tu reviens vers le quai en faisant comme si c'était à toi, comme si tu venais de chercher « ta » marchandise. Je t'attendrai devant le quai avec la fourgonnette et après on se tire. Pas de panique! Ça arrive tous les jours des trucs comme ça.

Ils s'arrêtèrent sur le parking à côté d'un camion à remorque de la Jet Air Cargo. Juste en face d'eux, à vingt mètres de là, French vit un long quai à hauteur d'homme, comportant douze portes métalliques qui étaient relevées. Des dockers en chemisette s'activaient sur le quai, entrant ou sortant de l'entrepôt. Certains avaient des factures à la main.

French se passa la langue sur les lèvres; elles étaient salées.

— Est-ce que je n'ai pas besoin d'avoir une facture ou quelque chose comme ça?

— Personne te demandera rien. Dis-leur seulement que tu cherches le service de livraison clients, comme je t'ai dit. Si tu leur fais bien croire que les marchandises sont à toi, personne te dira rien. Bon, vas-y maintenant. S'agit pas de s'éterniser ici.

French sortit le diable de l'arrière de la camionnette et se dirigea rapidement vers le quai. En prenant appui avec ses mains sur le rebord du quai, il sauta, et, alors qu'un de ses pieds touchait le sol, il sentit qu'une main lui attrapait le bras. Cette main l'aidait seulement à monter sur le quai; French dit « merci ». L'homme hocha la tête; French hissa le diable et disparut par la porte. La bâtisse blanche en béton se trouvait juste en face. Il alla dans cette direction, moitié marchant, moitié trottant derrière un chariot élévateur à plateaux qui transportait une pile de cartons.

Il dépassa trois bergers allemands enfermés dans des caisses de bois, puis abandonna le chariot élévateur et se dirigea rapidement vers le fond de la bâtisse blanche en béton. Il aperçut le bureau surélevé et vitré du surveillant-chef; il avait l'air vide. Derrière la bâtisse blanche, il aperçut la zone entourée de barrières qu'il cherchait. La porte cassée était appuyée contre le mur d'un box. Un panneau métallique jaune portant les mots : « La sécurité des marchandises ne dépend que de vous » pendait en travers de la porte. French fit semblant de remettre le panneau en place et en profita pour jeter un coup d'œil autour de lui : une demi-douzaine de dockers transportaient des caisses, bavardaient; aucun d'eux ne faisait attention à lui.

Il entra à l'intérieur du périmètre barricadé et, derrière un petit tas de cartons qui ne portaient aucune indication, il vit trois grandes cages cylindriques jaunes. Chaque cage était faite de barreaux de métal entrecroisés; au centre de chacune d'elles, coincé dans cette structure, se trouvait un tube d'acier inoxydable. Les tubes mesuraient 1,50 m de haut et 60 centimètres de large. Chacun était marqué d'une croix de Malte noire et, ce qui étonna French, portait cette mention : MATÉRIEL FISSIBLE.

Il s'appuya de tout son poids contre un conteneur, le fit basculer, amena le plateau du diable sous la cage, fit glisser celle-ci sur son chariot puis poussa le tout jusqu'au quai. Il se pencha pour parler à Stoop qui venait de descendre de la fourgonnette.

— Y en a d'autres? demanda Stoop.

— Deux autres, mais celui-là devrait suffire. Foutons le camp d'ici!

— Du calme, vieux. Tu fais rien de mal. T'as autant le droit d'être ici que n'importe qui d'autre qui vient chercher des marchandises. Va chercher les deux autres...

French fit encore deux voyages, sans problème; de toute évidence, personne ne faisait attention à lui. Il sauta en bas du quai pour aider Stoop à monter les trois cages dans la fourgonnette.

— C'est tout? demanda Stoop calmement.

— Ouais, foutons le camp!

La fourgonnette s'éloigna du quai et French se retourna sur son siège pour regarder de plus près les trois cages qui se trouvaient à l'arrière. A côté des croix de Malte noires, il remarqua alors trois grandes étiquettes portant toutes cette même mention très lisible : *Marchandises spéciales — Vérification douanière — RADIOACTIF.*

Tandis qu'ils s'éloignaient du quai d'embarquement, Stoop, les yeux fixés sur son rétroviseur latéral, vit alors deux hommes qui faisaient des signes à la fourgonnette. Puis un des deux types fit demi-tour et rentra à l'intérieur du bâtiment en courant.

CHAPITRE XI

J'étais assise sur le radiateur, écoutant un disque des Rolling Stones sur la chaîne hi-fi de ma camarade de chambre. J'étais impatiente d'avoir des nouvelles de Bobby. J'attendais qu'il me donne signe de vie, en guettant le téléphone. Je voulais savoir s'il ne s'était pas fait tuer ou arrêter.

Puis on a frappé à la porte, quelqu'un criait mon nom.

J'ai hurlé : « Qui est-ce ? » en sautant du radiateur.

— C'est moi, John, m'a répondu la voix.

— Je ne suis pas habillée, ai-je dit. Attendez un instant.

Il m'a dit qu'il attendait. C'était John Elkins, mon maître de conférences en chimie nucléaire. Puis j'ai enfilé une robe de chambre et j'ai ouvert la porte.

— Entrez, ai-je fait, je vais baisser le son.

Il faisait pitié à voir. A peine âgé de trente-sept ans, il avait déjà des cheveux presque blancs. Sa femme n'était pas un cadeau, pas un cadeau du tout : elle était grosse, mal foutue, emmerdante ; elle n'avait même pas son bac, elle ne pensait jamais à rien, un vrai végétal. C'était à cause de sa femme s'il n'avait pas encore été nommé professeur assistant.

— Non, je n'ai pas le temps d'entrer, Martha m'attend dans la voiture...

Il s'interrompit et je devinai que quelque chose n'allait pas. Il paraissait effrayé. Je lui dis :

— Qu'est-ce qui se passe ?

Il portait un jeans, un sweater et des chaussures noires.

— Aizy...

— Alors, ai-je dit, accouchez ! Venez-vous m'annoncer la fin du monde ? Est-ce que mes parents ont été tués dans un accident d'avion ?

— Vous êtes recalée à votre D.E.S...

Je resserrai un peu la robe de chambre autour de moi

et j'essayai de ne pas trop lui montrer que je m'en foutais. Je lui redemandai s'il était sûr de ne pas vouloir entrer.

— Messersmith a dit que vous avez séché tous les T.P. du trimestre et que cela vous condamne à être recalée, quelle que soit la note que vous obteniez à l'examen...

J'ai cru qu'il allait pleurer.

— Bon, écoutez, ai-je dit, tout le monde sait que Messersmith n'est qu'un fils de pute, n'est-ce pas?

— Je suis vraiment désolé, Aizy. C'est tellement injuste.

Il avait l'air si triste, debout là devant moi avec son sweater sale, ses cheveux poivre et sel, et son horrible bonne femme qui l'attendait dehors, dans la voiture.

— Ça vaut toujours mieux que d'être enceinte, ai-je dit. Je suis recalée, et alors... Je vais replonger pour un an, mais qu'est-ce que ça fout, au fond...

A dire vrai, je m'en tapais plutôt d'être baisée à mon D.E.S. Ces rabatteurs de matière grise — les chasseurs de cerveaux — m'embaucheraient même sans D.E.S. Ils connaissaient mes notes et mes capacités. Ils faisaient la queue à ma porte pour m'avoir dans leur boîte. Mais, pour Elkins, c'était si important! J'étais sa seule étudiante de second cycle et nous nous aimions beaucoup. Il avait l'air si triste. Pourtant c'est moi qui avais échoué, après tout.

Il souffrait tellement à cause de *mon* échec, le pauvre, sa carrière allait en prendre un coup. On aurait dit qu'il en faisait une affaire personnelle, une affaire de famille. Pauvre Elkins! C'était un crack internationalement connu pour ses travaux sur les réacteurs à pastilles d'uranium, mais le pauvre garçon ne comprenait décidément rien de rien aux ressorts de la psychologie humaine. La machine du système universitaire l'avait broyé.

Il a effleuré de la main la manche de ma robe de chambre puis m'a dit qu'il devait s'en aller.

— Je suis désolée, ai-je dit.

— Pas autant que moi...

— Je veux dire que je regrette pour vous d'avoir échoué...

Puis il est parti en courant dans les escaliers. Je l'ai regardé s'enfuir, puis je me suis dit, comme ça : « Merde, il ne porte même pas de chaussettes. »

C'est alors que, dans la chambre, le téléphone s'est mis à sonner.

CHAPITRE XII

Stoop songea un instant à abandonner la fourgonnette, puis il se ravisa. Il fallait trois bonnes minutes pour que ce mouchard, sur le quai, appelle les flics, plus quatre ou cinq minutes supplémentaires pour qu'il obtienne la communication; en outre, il n'y avait pas tant de flics que ça qui devaient patrouiller. Donc, il pouvait tenter sa chance, foncer vers le tunnel. Et puis, peut-être qu'il se trompait, peut-être que personne n'alerterait la police. Dix mois en tôle, ça vous rend un gars émotif. Du calme, Stoop, relaxe, mec! Le soleil brille. Y a un jeune étudiant plein de riches idées qui t'a mis sur un gros coup. 10 000 dollars le kilo de came! Un pactole! Mais qu'est-ce qu'elle va dire ta vieille mère quand elle apprendra que toi, Stoop, tu fais dans la contrebande de plutonium? Elle va en crever raide, le cul par terre, ta vieille négresse de mère!

Stoop quitta l'autoroute de l'aéroport et s'engagea dans la voie express Van Wyck. Rien que des taxis. Aucun flic à l'horizon. Il jeta un coup d'œil à French. Celui-ci était perdu dans ses pensées et ne mesurait pas la gravité de la situation, ignorant qu'ils risquaient d'avoir tous les flics de New York sur le dos d'un moment à l'autre.

— Combien de kilos transportons-nous? demanda Stoop.

— Je ne sais pas au juste. 7 ou 8 kilos, du moins j'espère.

— Bordel! s'exclama Stoop. Ça nous fait 40 000 billets chacun.

Il éclata de rire, envoya une grande tape sur le genou de French.

— C'est bien rémunéré pour même pas une heure de boulot, hein, mon frère!

Il savait que French serait sensible à ce rappel de leur

fraternité raciale. French hocha vaguement la tête.

— Évidemment, 40 000 dollars c'est pas grand-chose pour un gosse de riche qui va à l'université.

— Je suis boursier, répliqua sèchement French.

Stoop se tourna vers lui, et son large sourire s'ouvrit comme une fleur :

— Tu joues au basket ? lui demanda-t-il.

— Non, je ne joue à rien.

— Alors, comment t'as fait pour décrocher une bourse ?

— Ils t'en donnent parfois si tes notes sont très bonnes.

Stoop essaya de comprendre cette explication incompréhensible pour lui.

— Qu'est-ce qu'il fait ton vieux ?

— Il est juge.

Stoop devina combien ça avait dû faire plaisir à French de lui répondre ça. Tiens, tiens... Qu'est-ce qu'il dirait son père, le juge, s'il savait que son fils fait dans la délinquance ? Un aussi jeune et brillant intellectuel...

— Je parie que c'est pas ton père, le juge, qui t'a appris à voler. Ils t'ont appris ça où, déjà ?

— Princeton.

— T'as appris ça à Piston, Pinceton, comment tu dis déjà ?

— T'occupe pas. Conduis et roule.

Stoop se mit à rigoler, d'un rire énorme, sonore, d'un rire agressif de petite frappe des rues. Il commençait à connaître French. C'était seulement la troisième fois qu'ils avaient affaire l'un à l'autre. Quand Stoop purgeait sa peine, pour vol à main armée, dans la prison de l'île de Riker, cinq étudiants, dont French, venaient leur apporter des bouquins, à lui et à ses camarades. Ils venaient les « visiter » une fois par semaine. Stoop, toujours ponctuel au rendez-vous, ne ratait jamais leur visite. Un bon livre de poche, pas trop abîmé, ça se revendait pour une baguette de pain ou quatre cigarettes.

Frency était nouveau parmi ces visiteurs. Il demandait à chaque tricard pourquoi il était là et quand il devait sortir. En principe, il n'aurait pas dû faire ça. Mais les matons s'en foutaient. La plupart des taulards prenaient leurs bouquins et ne répondaient pas aux questions de French. Mais quelque chose dans la voix de l'étudiant avait plu à Stoop : French avait l'air d'avoir plein de riches idées dans la tête. Alors Stoop lui avait dit qu'il devait sortir le mercredi suivant. Un ami devait venir payer sa caution; le mercredi suivant, French attendait Stoop de l'autre côté de la baie, tandis que Stoop quittait l'île de Riker en bateau.

Une voiture de police apparut, à cinq voitures derrière eux, heureusement gênée par un camion de livraison qu'elle n'arrivait pas à doubler. Stoop ne la quittait pas des yeux, mais il resta à la vitesse réglementaire de 45 kilomètres à l'heure. Il prit la voie menant au tunnel, la voiture de police resta derrière eux, dans la file.

— Où est ce mec qui a le blé? demanda Stoop.

— Dans le Lower East Side, 181, Stanton Street.

Une seconde voiture de police était derrière eux maintenant, elle roulait sur la voie extérieure, à côté de la première. Stoop regarda dans la direction du tunnel. Il put tout juste apercevoir les guérites du poste de péage. « Reste calme, Stoop, se dit-il à lui-même. Les bagnoles de flics ont quand même bien le droit de prendre l'air sur la voie express. Pas de panique, mon vieux — pas maintenant. Faut que rien n'arrive maintenant. Les choses commencent juste à s'arranger. »

Là-bas, à Riker, ils avaient finalement accepté de fixer sa caution à 1 000 dollars; c'était presque donné, quoi; un cadeau de l'administration pénitentiaire. Il y avait eu comme un défaut dans leur système. Stoop faisait officiellement l'objet d'un mandat d'arrêt pour complicité avec un braqueur de banque. Mais, outre que ce n'était pas la vérité vraie, ils l'avaient finalement relâché parce que ce fameux mandat d'arrêt n'était jamais parvenu aux matons de Riker. Donc il avait pu payer sa caution et sortir de cette île-prison. Et voilà que ce French avait un ami prêt à leur balancer 40 000 dollars chacun rien que pour trois conteneurs jaunes remplis de produits chimiques.

Fallait donc pas que tout foire maintenant...

La fourgonnette n'était plus qu'à une centaine de mètres du poste de péage. Stoop doubla trois voitures en douceur et freina un peu trop brusquement derrière un semi-remorque. Il lança trois pièces de 25 cents dans le panier automatique, quand ce fut à son tour de passer, et il s'engagea dans le tunnel. Il y avait maintenant huit voitures et un camion entre sa fourgonnette et les deux bagnoles des flics.

Ils roulaient sous le tunnel en respectant la vitesse réglementaire. Malheureusement, le camion de livraison l'empêchait de voir ce que faisaient les deux voitures de police.

— Qu'est-ce qu'il dirait le juge, ton père, si tu allais passer quelques nuits en taule? demanda Stoop.

French se tourna vers lui :

— Pourquoi dis-tu cela?

— Pourquoi? Quand on arnaque une camelote de 80 000 dollars, on risque de coucher en taule, tu devrais savoir ça.

— Personne ne nous a repérés.

— Ton vieux, le juge, il entaule des frères aussi?

— C'est un juge « civil ».

— Donc, il a rien à voir avec les fils de pute, hein?

— Écoute, mon vieux!...

Stoop se mit à rire, tapa à nouveau sur le genou de French et lui attrapa la nuque :

— C'était juste pour te charrier un peu, mon frère. Faut bien passer le temps.

Le reflet d'un gros clignotant rouge zébra les murs du tunnel. Une fois, deux fois...

— Qu'est-ce que c'est que ça? demanda French.

Stoop ne répondit pas. La sortie était juste devant eux, point brillant de lumière. Il se demanda si les flics les attendraient à la sortie. S'ils étaient repérés, il foutrait la fourgonnette en l'air et se carapaterait dans une bouche de métro. Vol qualifié avec un fils de juge : c'était pas le genre de chose à faire en ce moment.

Il collait au plus près à la voiture qui le précédait; dès qu'elle sortit du tunnel et obliqua vers la droite, Stoop appuya à fond sur la pédale de l'accélérateur et se glissa dans les colonnes des véhicules qui rentraient dans Manhattan. Il n'avait aperçu aucun flic mais il entendait leurs sirènes.

Derrière lui, les voitures sortaient par paquets du tunnel en laissant le passage aux bagnoles hurlantes de la police. Stoop s'arrêta derrière un break qui attendait que la circulation reparte, et il regarda dans le rétroviseur : il n'y avait pas de voiture derrière lui. Il était donc à découvert, le gros arrière-train vert de la fourgonnette déployé comme un drapeau en plein jour. Les voitures de police sortirent du tunnel à grande vitesse en faisant crisser leurs pneus et prirent la direction de Harlem, sans même remarquer la fourgonnette.

— Écoute-moi ce boucan! hurla French, complètement assourdi par le hurlement des sirènes.

— Vous n'avez pas de flics, à Detroit?

— Pas pour les fils de juges.

Stoop sourit. Il aimait ce genre de réponse. Il aimait ça vraiment : « Pas pour les fils de juges ». Il aimait qu'on lui renvoie la balle. Il se demanda comment French se comporterait dans une bagarre, le nombre de coups qu'il serait capable d'encaisser avant que la vue de son propre sang ne l'effraie à mort. Il pensa que French se demandait peut-être la même chose.

Stoop tourna à gauche, vers la 2e Avenue, les yeux rivés sur son rétroviseur. Il tourna encore à gauche, il se rapprochait d'Essex quand French lui dit :

— Tourne ici à droite.

Stoop tourna et ralentit en passant devant une épicerie fine. Deux Portoricains à demi nus, aux longs cheveux nattés et aux yeux rougis étaient vautrés sur des caisses de bière vides. Un petit garçon, à côté d'eux, buvait une bouteille de Pepsi-Cola.

— J'ai fait deux ans à Goshen pour avoir volé dans cet endroit, jadis, quand j'avais treize ans, dit Stoop. J'ai arnaqué du fric dans tous les quartiers de métèques situés entre Bowery et Clinton Street. Alors, pas la peine de me montrer le chemin, je connais tout le coin par cœur.

Il accéléra, vira à gauche près d'un terrain vague, au coin de Stanton Street, et s'arrêta juste devant le numéro 181.

Stoop se débarrassa du diable après avoir acheminé les conteneurs devant l'immeuble du 181.

— Je vais larguer la fourgonnette, dit Stoop. Où se trouve l'appartement?

— Au deuxième étage.

Stoop laissa French devant la maison avec les conteneurs, il roula 500 mètres en direction d'Orchard Street, gara la fourgonnette devant une prise d'eau et revint sur ses pas, en direction de Stanton Street.

Il marchait au milieu d'un grouillement d'échoppes aux étalages hétéroclites : fleurs artificielles en plastique, serviettes-éponges, perruques de toutes les couleurs, piles de pièces de vaisselle à quatre sous. Il commençait à pleuvoir. Il fourra son béret dans sa ceinture (curieusement, pour ne pas le mouiller, sans doute), à l'endroit opposé à celui où se trouvait son revolver, et se décida à remonter la fermeture Éclair de son blouson jusqu'en haut. A 100 mètres de l'appartement, la pluie se mit à tomber. Il entra alors dans un snack appelé « Cuba Libre » pour attendre la fin de l'averse. Il resta près de la porte accoudé au bar, regardant la rue. Un Portoricain maigre, avec une moustache minable et attifé d'une serviette sale enroulée autour de la taille en guise de tablier, vint au bout du bar.

— Qu'est-ce que tu bois?

— J'attends, répondit Stoop.

Juste à côté de lui, trois autres Portoricains passaient le temps en sirotant des cafés. Il leur adressa un regard sans expression, puis changea sa position de manière à les avoir dans son angle de vue tout en continuant de surveiller la rue. Les trois Portoricains vinrent s'asseoir juste derrière lui, dans son dos. Il ouvrit lentement la fermeture Éclair de son blouson.

— Tu veux quelque chose? redemanda le serveur.

— Je t'ai déjà dit que j'attendais à cause de la pluie.

Il devenait nerveux. Tout ce qu'il voulait, c'était attendre peinard que cesse cette chienne de pluie, et ces fils de pute lui cherchaient des merdes. Les merdes et les emmerdes couraient après lui comme des chiens de meute après leur gibier. Après être resté là assez longtemps pour ne pas passer pour un lâche, et comme la pluie, dehors, s'était calmée, il quitta le « Cuba Libre », traversa la rue et monta à l'appartement.

L'ampoule du deuxième étage était grillée, il frappa à la porte dans le noir.

Bobby French lui ouvrit.

— Où est la marchandise?

— Ici, dit Bobby.

Stoop jeta un coup d'œil autour de lui et aperçut les

trois conteneurs dans l'entrée. L'appartement n'était en fait qu'une immense pièce rectangulaire, très sommairement aménagée, avec seulement une petite cuisine, un téléphone et deux lits jumeaux.

— Où est le type qui crèche ici? demanda Stoop. J'aime pas m'attarder. Où est le fric?

— Stoop...

Stoop se retourna vers French plein de suspicion. Il avait déjà entendu ce ton quelque part. C'était celui que prenait sa mère, Mamie, quand elle n'avait plus de fric, et aussi celui de certains de ses « associés » foireux quand ils avaient fait rater un gros coup.

— C'est mon appartement, Stoop. Je viens de le louer. Mais il y a une masse de pognon...

— Où, French, où il est le pognon, bon dieu!

— Écoute, je t'ai dit que le plutonium valait 10 000 dollars le kilo, et je n'ai pas menti. C'est le prix qu'on pourrait faire payer à la compagnie d'assurances, mais...

— Mais quoi, accouche!

— Écoute-moi. Nous avons un autre moyen de nous faire encore plus de fric, 100 000, 200 000, 1 million de dollars, tout ce que nous demanderons.

French avait l'air désespéré. Stoop était plus petit que lui, mais il se tenait contre lui, sa poitrine contre la sienne, sa main posée sur la crosse de son revolver.

— Ce qu'il y a dans ces conteneurs, c'est... Stoop, il se peut que tu ne le croies pas, mais il faut que tu me donnes un peu de temps pour t'expliquer. Ce que contiennent ces conteneurs, eh bien, c'est... on peut... Stoop... (Il recula d'un pas.) Stoop, nous pouvons faire une bombe atomique avec ce qu'il y a là-dedans.

Le visage de Stoop devint livide et il fixa French sans rien dire pendant un long moment. Il n'en revenait pas.

— Une bombe atomique, lâcha-t-il enfin d'une voix incrédule, je peux faire une bombe atomique...

— Pas toi, Stoop; nous pouvons la faire, c'est-à-dire moi et quelqu'un que je connais.

— Une bombe atomique!

— Je sais que c'est dur à croire, Stoop, mais un ami à moi peut le faire, et alors nous aurons tout ce que nous voulons, autant d'argent que nous voudrons.

74

— Une bombe atomique..., répéta Stoop, hébété.

— Oui.

— Tu veux me faire croîre qu'une personne de ta connaissance peut faire une bombe atomique rien qu'avec ce qu'il y a dans ces saloperies de conteneurs?...

— Parfaitement.

— Et puis qu'on va pouvoir faire chanter un pigeon, avec ça, pour 1 million de dollars?...

— Parfaitement.

Stoop défourailla son revolver, marcha sur French et lui enfonça le canon de l'arme dans le ventre.

— Redis-moi ça, répète!

Sa voix était calme, apparemment tranquille.

— Nous allons (French pouvait à peine parler), nous allons construire une bombe atomique et faire chanter un pigeon pour 1 million de dollars.

Stoop appuyait toujours le canon du revolver dans le ventre de French :

— Stoop, mon ami est chimiste, un très brillant chimiste..

Il n'osait pas nommer cet « ami » par son prénom, craignant d'avouer à ce dingue de Stoop qu'il s'agissait d'une fille.

— Mon ami peut t'apporter les documents, tous les documents prouvant que nous sommes en mesure de faire exactement ce que je dis...

Stoop releva le canon de son revolver.

— Où est-ce qu'on peut joindre cet « ami »?

— A Princeton. Laisse-moi lui téléphoner. Il lui faut seulement une heure et demie, pas plus, pour nous rejoindre ici. Laisse-moi l'appeler, Stoop.

Stoop s'assit sur le sofa posé au milieu de la pièce et décrocha le téléphone...

CHAPITRE XIII

Au bout du téléphone c'était Bobby qui me demandait de venir à New York. Je lui dis :

— Tu m'as l'air excité, qu'est-ce que tu peux bien être en train de foutre!

— Il faut que tu viennes, Aizy, me dit-il. Il faut que je te parle.

Je lui ai demandé :

— Est-ce que tu vas bien?

— Je vais bien, merci, mais il faut que je te parle. Apporte-moi le bouquin de McPhee.

— On pourra parler quand tu seras revenu ici, répondis-je.

— Il faut que je te parle, maintenant, Aizy, à New York. Prends le train.

Et puis j'ai entendu quelqu'un lui parler à voix basse.

— Qui est-ce, Bobby? Est-ce que tout va bien?

— Je ne peux pas quitter New York, maintenant, Aizy. Prends le train, saute dans un taxi jusqu'au 181, Stanton Street, deuxième étage, et n'oublie surtout pas le livre. C'est très important.

Comme il avait vraiment l'air désespéré, j'ai dit O.K. Je ne pouvais pas le laisser tomber, pas vrai?

Bon — c'est une façon de parler. Il pleuvait, une petite ondée, mais le chauffeur de taxi m'a dit qu'il ne pourrait pas me déposer Stanton Street parce que la rue était en sens unique dans le mauvais sens. Je lui ai dit de faire le tour du pâté de maisons, mais il a refusé, donc j'ai continué à pied.

Dans les rues, il y avait partout plein de cadavres de bouteilles de whisky vides et ces émigrés très pittoresques, debout devant des portes cochères, qui lançaient des *muy guapa! muy guapa!* sur mon passage. J'ai dû me faire draguer quatre fois de suite en trois langues différentes. Les numéros manquaient sur la plupart des maisons, impossible de trouver le 181. Alors, je suis restée là, dans la rue, debout en face d'un immeuble en voie de démolition dont toutes les ouvertures étaient condamnées par de gros madriers de charpente. J'étais trempée, je regardais partout autour de moi pour essayer de trouver un numéro, et je lisais tous les graffiti et toutes les affiches écrits et collés sur les murs des maisons. Les « Nomades sauvages associés » voulaient que j'aille me faire foutre, et l'Association pour l'amélioration des conditions de vie du quartier de Lower East Side m'invitait à un bal en robe longue, avec Tony Cuba et son grand orchestre.

Quand, grâce à Dieu, j'ai trouvé le 181, c'était tard dans l'après-midi et il commençait à faire nuit. L'électricité des couloirs ne fonctionnait plus et je pouvais à peine m'orienter dans les escaliers des étages, mais les mauvaises odeurs, ça je les sentais ! Des odeurs de poubelle, d'urine et peut-être aussi d'autres choses innommables. Je me suis bouché le nez et la bouche, puis je suis parvenue à atteindre le deuxième étage. Tout était plongé dans une obscurité complète, là aussi, et je dus trouver mon chemin à tâtons.

Après m'être tordu les chevilles dans un certain nombre de trous faits dans le plancher du palier, j'ai marché en aveugle jusqu'à la porte que je pensais être la bonne, puis j'ai frappé.

French m'a fait entrer dans une immense pièce recouverte d'une moquette marron; il y avait une table, des fauteuils, un sofa et deux grands lits jumeaux. Tous ces meubles étaient recouverts de poussière, tellement de poussière partout, dans tous les coins, qu'on pouvait même la voir flotter dans l'air sans porter de lunettes. Cet endroit exhalait les mêmes puanteurs désagréables que celles des escaliers. Un type noir très louche était assis à un bout de la table. Il portait un grand béret qui lui tombait sur l'oreille. Il ressemblait à tous ces types des rues qui vous font instinctivement penser qu'ils vont vous attaquer. Dès qu'il m'aperçut, il devint comme fou, frappa un grand coup de poing sur la table, se leva et fonça sur French. J'ai cru qu'il allait assassiner quelqu'un.

French a essayé de le calmer.

— Écoute, Stoop, laisse-moi t'expliquer...

Puis French me prit le livre des mains :

— Écoute, Stoop...

Il se mit à feuilleter très rapidement les pages et commença à lire. L'autre type, ce Stoop, il se tenait là devant moi sans dire un mot; il me regardait salement, comme s'il voulait me massacrer. J'étais paumée, je ne savais plus ce qu'il fallait penser. Puis j'ai aperçu ce revolver sous sa veste. J'ai dit à French :

— Bobby, qu'est-ce qui se passe? Qui est...

Avant que j'aie pu finir ma phrase, ce mec, Stoop, m'a hurlé : « Assise! » Il était sur le point d'exploser et de me mettre sur orbite. Je me suis donc assise. Puis il a commencé à me bombarder de questions. Quel âge j'avais, où j'allais à l'école, quelle matière j'étudiais. French essaya de le calmer un peu mais l'autre hurla :

— Ta gueule, fils de con!

Stoop me montra du doigt les trois conteneurs jaunes déposés près de la porte :

— Qu'est-ce que c'est que ces machins-là?

Il ne hurlait plus, il gueulait à proprement parler.

French nous regardait, allongé sur l'un des lits. Il me fit un clin d'œil entendu. Alors j'ai pigé. C'était le type dont French avait utilisé les services pour voler le plutonium.

Je répondis :

— Des produits radioactifs.

— Je sais lire, la môme, je peux voir écrit dessus que c'est des radioactifs, mais quel genre de radioactifs?

« Quel genre de radioactifs! » Oh! la belle question! J'étais en train de réfléchir à ce que j'allais bien pouvoir lui répondre, quand on a entendu un grand fracas de musique; ça devait venir de l'appartement juste au-dessus, parce qu'on l'entendait très fort. La *Cinquième* de Beethoven : dadada-dam, dadada-dum! Le type, là-haut, poussait trop le volume. On ne s'entendait plus. Stoop faisait semblant de ne pas écouter. Il me regardait, attendant ma réponse.

Alors, je lui ai crié, pour couvrir la musique :

— Il y a du plutonium là-dedans. Vous savez, c'est ce truc dont ils se servent pour faire des bombes atomiques.

French poussa un soupir de soulagement quand il comprit que j'allais mettre Stoop dans ma poche, avec un mouchoir par-dessus.

— N'importe qui peut faire une bombe avec ce truc-là, ai-je repris. C'est facile quand on sait ce qu'il faut faire.

Le type en question, Stoop, revint à la table et s'assit. Il réfléchissait. Il était comme un bâton de dynamite qui se gratte la tête, se demandant si oui ou non il allait exploser. Vous ne pouvez pas vous imaginer la brutalité qui émanait de cet homme. J'avais une peur bleue.

French et moi, nous ne bougions plus, sages, très sages. Alors Stoop nous a dit :

— Asseyez-vous ici!

Nous nous sommes donc assis tous les deux, French et moi, sur le sofa. J'aurais aimé être ailleurs que dans cet appartement. Stoop, sa brutalité et son revolver, c'était vraiment trop. Je ne voulais plus participer à ce genre de démence. D'autre part, les psychiatres m'avaient assez persécutée, jadis, pour savoir que j'avais le don congénital de collectionner les emmerdements.

Ces trois ans passés à Princeton avaient été pour moi comme un répit, un sanatorium, un refuge. Aux yeux de ma cothurne et de quelques autres camarades, je pouvais encore passer pour une demi-dingue, mais moi, vous savez, je commençais juste à me sentir normale à cette époque-là. La terreur avait disparu, le chaos s'apaisait. Je *fonctionnais*. C'est pourquoi je voulais être ailleurs, hors de portée de Stoop et de son arme à feu.

Quand Stoop, un peu plus calme, se fut assis à la table pour réfléchir, je me suis mise à penser au moyen de rentrer à Princeton. Stoop demanda à French de lui relire les extraits du livre où il était question de la facilité qu'il y a à fabriquer une bombe. Alors, je leur ai dit :

— Pendant que vous faites ça, si j'allais vous chercher quelque chose à boire? J'ai vraiment très soif. Je vais chercher de la bière.

Mon idée plut à Stoop. Ils étaient d'accord. Alors je me suis éclipsée, puis j'ai couru de Stanton Street jusqu'à Delancey Street avant de trouver un taxi libre.

CHAPITRE XIV

Bobby French attendit qu'Aizy fut sortie pour se lever, se diriger vers la table et s'asseoir à côté de Stoop. Il était content de la voir partir. Il avait des choses à dire qu'il ne voulait pas qu'elle entende.

— Es-tu convaincu, maintenant?

Stoop ne répondit pas. Ses mains sur la table étaient alternativement occupées à froisser son béret puis à lui redonner forme.

— Je sais qu'elle n'a pas l'air de quelqu'un capable de faire une bombe, Stoop, mais elle peut la faire. Elle vient d'achever sa thèse sur les réacteurs nucléaires. La General Electric et toutes les autres multinationales de ce genre se font la guerre pour l'embaucher. (Il regarda Stoop très sérieusement.) C'est un génie, Stoop.

— Jolie fille, dit Stoop.

— Ouais, et elle aime ça aussi.

— Que va-t-on faire de cette putain de bombe si elle réussit à en fabriquer une?

— Nous dirons au gouvernement que nous avons une bombe et nous proposerons de la lui vendre.

— Combien?

— 1 million de dollars, divisé en trois parts, soit 333 000 dollars chacun.

— Et moi je serai net?

— C'est-à-dire?

— Les charges retenues contre moi, le temps qu'il me reste à tirer, tout, quoi!

— Bien sûr. Aucun problème.

— Comment sauront-ils que nous ne bluffons pas?

— Nous leur enverrons des photos de la bombe, un diagramme, des plans et un échantillon du plutonium.

Il faudra bien qu'ils y croient. Et, s'ils refusent d'y croire, nous alerterons la presse et la télévision.

— Ça va nous faire une sacrée publicité.

— Au gouvernement aussi. Ils devront accepter nos conditions s'ils ne veulent pas que la presse s'en mêle. Ils étoufferont l'affaire pour éviter de scandaliser l'opinion. Et puis pour eux, qu'est-ce que c'est que 1 million de dollars? 1 million ce n'est rien.

Stoop lui lança un petit coup d'œil excité :

— Peut-être qu'on devrait leur demander plus.

— Non, je ne suis pas d'accord, Stoop. 1 million, c'est suffisant.

Stoop se leva et alla s'asseoir sur l'un des lits :

— Je vais dormir ici.

— Bien sûr. Une fois le truc en route, nous dormirons tous ici. Personne ne sortira, sauf pour raisons de nécessité. Chacun de nous devra être sérieux. Pas question de jouer aux cons.

Stoop s'allongea sur le lit :

— T'en fais pas, mon vieux, je laisserai ta nana tranquille.

— Je ne pensais pas à cela. Je veux dire que ça devra être comme une opération militaire. Nous ne pouvons nous permettre de faire une seule faute. Nous devrons monter ça comme une opération bien réglée.

Stoop ne répondit pas. Il était devant la fenêtre et regardait la pluie qui tambourinait sur les rampes de l'escalier de secours. Il n'avait aucune idée de ce qu'était une bombe atomique. Pour lui, c'était simplement la bombe des bombes, quelque chose de terriblement meurtrier, une arme infiniment supérieure aux couteaux à cran d'arrêt et aux revolvers.

— Et elle? finit par demander Stoop.

— Quoi, elle?

— Elle est pas là...

Aizy, en effet, mettait beaucoup de temps à revenir avec la bière. French ne savait pas quoi dire.

— Elle ne va plus être longue...

Stoop se détourna de la fenêtre. Il souriait.

— Non, elle ne va plus être longue, puisqu'elle a mis les voiles.

French se sentit stupide.

— Comment?

— Elle est partie, mon vieux, elle s'est tirée. (Il rigolait.) Elle n'a pas aimé ça d'être ici avec deux Noirs. Ça lui a levé le cœur parce que les négros, ça pue!

— Je pense que tu l'as un peu effrayée, Stoop. Je veux dire que tu as salement gueulé et puis elle a vu ton pétard.

— Ouais, faut que je me calme, tu dis vrai, mec. Stoop va vivre avec un couple de génies, ses nouveaux associés en affaires. Donc faut qu'il devienne un peu plus respectable, un peu moins sauvage, quoi! C'est ça que tu penses, pas vrai?

French ne savait pas quoi répondre.

— Elle va revenir, Stoop. Ce n'est pas un problème. Seulement, ne dis pas un mot sur mon idée de faire chanter le gouvernement, pas un seul mot, d'accord? Parce qu'elle, vois-tu, elle croit que nous faisons la bombe simplement pour prouver que nous pouvons la faire. C'est une scientifique, Stoop, et elle a ses raisons de scientifique pour vouloir faire la bombe. Alors ne lui dis rien pour le fric. Tout ira mieux comme ça.

— Si elle marche pas pour le fric, c'est pas moi que ça va déranger. Tu parles que je vais fermer ma gueule!

Stoop réfléchit quelques instants puis fronça les sourcils.

— T'es sûr qu'elle sera d'accord pour nous faire la bombe?

— C'est ce qu'elle veut, Stoop; aucun problème.

— Vaut mieux qu'y ait pas de problème, répondit Stoop en souriant. Et si elle veut pas faire la bombe, on trouvera quelqu'un d'autre, pas vrai?

— Bien sûr.

— Ça me plaît ton idée, ça me plaît vachement.

— Bon. Maintenant, toi tu restes ici; moi, je vais la chercher. Je repars dans le New Jersey et je la ramène. Nous serons ici demain.

— O.K.! vieux. Je vous attends.

Après le départ de French, Stoop passa à la cuisine, ouvrant tous les placards.

CHAPITRE XV

A la gare, dans le hall de Penn Station, j'avais deux heures d'attente; je me suis assise sur un banc, face à un couple de vieux qui ne quittaient pas des yeux leurs valises dépareillées, attachées par des ficelles.

Je me disais que je n'aurais pas dû réagir ainsi, paniquer comme ça et laisser French là-bas, tout seul avec M. Brutalité et son revolver. J'avais dit à French que je l'aiderais à faire la bombe; alors lui, il a foncé, il a trouvé ce type pour l'aider à voler le plutonium, et ce type a été choqué quand il a constaté que le cerveau de l'affaire était une fille. Donc, de quel droit me suis-je effrayée et enfuie? Si ce Stoop était vraiment un sale type, dans ce cas non seulement j'avais trahi Bobby mais je l'avais aussi lâchement abandonné. Si Stoop n'était pas un sale type, alors j'avais agi comme une idiote. C'était parce qu'ils étaient tous les deux Noirs, et aussi à cause de ces horribles odeurs et de ce bâtiment répugnant, et puis à cause de ce sale quartier que je m'étais enfuie.

Le vieux et la vieille, assis sur l'autre banc, avaient l'air fatigués, avec tout leur barda autour d'eux; ils se tenaient par la main. Ils me regardaient, méfiants, effrayés. Ça me navrait qu'ils aient peur de moi. Je leur fis un sourire mais ils n'y répondirent pas. Je ne leur en voulus pas. J'avais sans doute l'air d'une fille douteuse, trempée, sale, qui sentait mauvais et qui traînait dans Penn Station avec l'idée d'attaquer un couple de vieillards.

Je pensai à appeler les flics. Mais je me sentirais drôlement mal, le lendemain matin, quand j'entendrais à la radio qu'un étudiant de Princeton avait été tué par balles dans un appartement de Lower East Side. Au mieux, si j'appelais les flics, ce serait quand même d'un étudiant de Princeton arrêté pour détention de plutonium volé dont on parlerait à la radio. Je me dis alors que ce qu'il fallait faire, ce que je devrais faire si j'étais courageuse, ce serait de retourner là-bas et d'affronter la situation. A ce moment-là, soit je m'excuserais et tout s'arrangerait, ou bien alors, dans la pire hypothèse, il y aurait deux étudiants de Princeton tués par balles. Aizy, tu n'as pas le droit de leur dire comme ça que tu vas leur rendre service, que tu marches dans leur affaire, de les faire bander et puis de te tirer au dernier moment en les abandonnant. Tu ne peux pas faire ça, Aizy!

Je décidai de revenir. J'étais assise et je regardais les deux vieux, essayant de rassembler mon courage; c'est alors que je vis leur regard fixer quelque chose au-dessus de mon épaule gauche. Je levai les yeux. C'était French. Il s'assit à côté de moi, essuya la pluie qui gouttait de ses cheveux et me dit :

— Merci pour la bière.

Je ne répondis pas. Maintenant que je le savais hors de danger, je ne me sentais plus aussi mal dans ma peau.

— Pourquoi t'es-tu sauvée comme cela? Tu as bien failli faire rater le coup.

— Je n'aime pas les revolvers.

— Il en porte un pour se protéger, Aizy. Quand on vit dans une jungle comme Harlem, il faut porter un revolver sur soi si on veut rester vivant.

— Comment le sais-tu?

— Aizy, je vais être franc avec toi. J'avais besoin de lui pour piquer le plutonium. Il avait...

— Où l'as-tu déniché?

— Je suis allé avec un potache de seconde année faire une distribution de livres dans l'île de Riker. C'est une prison.

— Tu étais visiteur de prison?

— Stoop avait un ami à l'aéroport Kennedy; c'est grâce à ses renseignements que nous avons pu prendre le pluto-nium. Mais il est O.K., Aizy. Nous allons avoir besoin de lui. Parce que maintenant nous devons trouver des charges de plastic, n'est-ce pas? Et nous ne pouvons quand même pas passer une annonce dans tous les magasins où on vend des pains de plastic et déclarer comme ça que nous voulons en acheter quelques kilos, non ? Nous allons donc avoir besoin de lui, Aizy. Il n'est pas aussi méchant qu'il en a l'air. Je saurai le tenir en main.

— Où est son intérêt à marcher avec nous ?

— Quand nous aurons donné la bombe au gouvernement pour qu'il la teste et que le Congrès commencera à s'agiter, il espère que nous deviendrons des héros et qu'ils annuleront toutes les charges retenues contre lui. Ce qu'il veut, c'est tout simplement repartir à zéro, Aizy, prendre un nouveau départ. C'est tout. On ne peut pas lui tenir rigueur de cela.

— Quel genre de charges ?

— Je ne sais pas, Aizy. Hold-up, sans doute. Qu'est-ce que ça peut faire ? C'est un gosse des rues sans instruction. Il n'a jamais connu ni son père ni sa mère, il a vécu dans la rue la moitié de sa vie, on ne peut pas lui en vouloir d'avoir volé. Et maintenant, il veut prendre un nouveau départ. On peut pas le laisser tomber maintenant, Aizy.

J'étais assise sur ce banc. Quelle anguille ce type était-il en train de me faire avaler ? Mais je dois avouer que j'aimais ça, j'aimais l'écouter en train d'essayer de me convaincre, de parlementer avec moi, de revenir à la charge et de si bien plaider sa cause.

— Je te promets qu'il ne nous causera aucun ennui, Aizy. C'est un enfant. Un enfant émotif, un caractériel. Tu l'as beaucoup impressionné. Il pense que nous sommes tous les deux un couple de génies. Il n'a jamais côtoyé des gens comme nous, Aizy. Il est ébloui. Il fera tout ce que je lui dirai de faire.

Sur leur banc, les deux vieux n'arrivaient pas à nous situer. Je suppose que nous devions ressembler à deux amoureux qui se chamaillent, Bobby essayant de s'excuser et de se faire pardonner. Leurs yeux ne cessaient d'aller et de venir de lui à moi, puis de moi à lui. Alors, ça a été plus fort que moi. J'ai jeté mes bras autour du cou de Bobby et je lui ai donné un grand baiser mouillé, claquant, sur la bouche. Les deux vieux ont sursauté. Bobby aussi. J'ai arrêté et j'ai éclaté de rire comme une vraie folle. Fallait voir leurs têtes à tous, à Bobby et aux deux vieux. Je ne pouvais plus m'arrêter de rire. Bobby m'a dit :

— Aizy! Aizy! Est-ce que tout va bien?

— Ouais, ça va, merci.

J'ai aussitôt arrêté de rire et je lui ai dit :

— Que veux-tu que nous fassions, maintenant?

— Qu'est-ce que tu veux dire? Qu'est-ce qui te prend?

— J'avais simplement envie de t'embrasser. Tu es si beau. N'aie pas l'air si choqué. Tu m'as bien baisée, alors je peux bien t'embrasser, non?

Les deux vieux en face baissèrent les yeux et regardèrent leurs mains. Bobby ne dit rien.

— Alors, Bobby, que veux-tu faire maintenant? Retourner à l'appartement, aller à Princeton, ou quoi?

— Aizy, je pense que nous devrions nous installer dans l'appartement. Nous ne pourrons pas faire sans arrêt le trajet aller retour Princeton-New York quand tu auras commencé à fabriquer cet engin.

— Tu veux faire ça à New York?

— Eh bien, oui. Nous ne pouvons quand même pas faire ça dans un pavillon de la cité universitaire.

— Et la cérémonie de remise des diplômes?

— Je reviendrai à Princeton pour y assister. Une journée. Si mes parents n'y viennent pas, je laisserai tomber et le secrétariat de la fac m'enverra mon diplôme par la poste. Tu devras y aller toi aussi.

— Non.

Je lui ai alors expliqué ce qu'Elkins m'avait annoncé au sujet de mon diplôme.

— Zut, c'est trop con. Mais alors, dans ce cas, tu pourras donc rester tout le temps à New York jusqu'à ce qu'on ait fini...

— J'imagine que oui.

— Bien. Comme ça nous ne serons jamais absents en même temps et on ne laissera pas Stoop seul avec la bombe.

— On peut pas dire que ça te bouleverse!

— De quoi veux-tu parler?

— Rien.

— J'ai dit que c'était trop con. Je suis désolé, Aizy.

— J'ai entendu, n'en parlons plus.

— Je voulais seulement dire que ton échec n'a pas l'air de te tracasser beaucoup.

— Moi, pas du tout. Oublions ça, je t'ai dit.

Quand nous arrivâmes à la gare de Princeton, il était 3 heures du matin et le dernier car pour l'université venait juste de partir. Nous avons donc marché, 5 kilomètres dans la nuit, en pleine campagne, au milieu d'un silence mortel, effrayant. Bobby a passé son bras autour de mes épaules et, après quelques instants, plus rien ne me faisait peur.

CHAPITRE XVI

Pour faire ma bombe, je voulais être *seule*. Je n'ai pas eu à le répéter deux fois à Stoop. Il s'était tenu à l'écart de la cuisine quand les livreurs m'avaient apporté le four à induction et la boîte à gants, mais à peine avais-je eu fini de leur dire que je ne voulais voir personne dans la cuisine pour travailler qu'il était déjà dans mon dos. Il avait une frayeur viscérale de ce qu'il ne comprenait pas, je ne pouvais pas trop lui en vouloir de sa curiosité.

Pour faire sortir Bobby de la cuisine, ce fut une autre paire de manches.

— Ça pourrait exploser, Bobby, mieux vaut qu'il n'y ait personne à proximité.

— Aucune raison pour que ça explose, Aizy. Pas encore, du moins.

— Bobby, je veux travailler seule. Je ne veux voir personne autour de moi. Comprends-tu? C'est comme un artiste ou un écrivain, tout dépend du premier coup de pinceau ou de la première page. C'est une affaire entre moi et moi. Une fille a besoin d'être seule dans un moment pareil. C'est un moment très spécial, ma première bombe atomique...

— Arrête ton char, Aizy.

— Je veux être seule, Bobby, au début du moins. Va prendre l'air avec Stoop, s'il te plaît.

Stoop se tenait dans l'encadrement de la porte.

— Aizy, reprit Bobby, es-tu sûre de savoir faire ce que tu fais?

— Évidemment que je suis sûre.

— Nous pourrions demander de l'aide, Elkins par exemple...

— Elkins ne ferait jamais ça, Bobby.

— Il le ferait si Stoop le lui demandait.

— Et comment qu'il le ferait si je le lui demandais, claironna Stoop de son horrible petit sourire en forme de lame de couteau.

Bobby n'en loupait pas une. Donner à Stoop de si mauvaises idées. Maintenant, si Stoop se mettait dans la tête que je n'étais pas compétente, il songerait certainement à aller kidnapper Elkins. J'avais bien besoin de ça! Le pauvre Elkins! Kidnappé! Ça s'accorderait d'ailleurs parfaitement bien avec la malchance de sa vie ratée, pathétique.

— Que tu le veuilles ou non, Aizy, je pense que je vais rester là, dit Bobby. Je veux regarder. Je veux te regarder faire. Je ne te dérangerai pas.

A quoi bon lutter? Il allait rester là de toute façon, que cela me plaise ou non.

— Vas-y, Stoop, dit Bobby. Je te rejoins dans une heure, on ira boire un verre puis on se paiera le ciné.

Stoop s'en alla, je fermai la porte à clef et je retournai dans la cuisine avec Bobby. Je regardai la boîte à gants. Dans la cuisine, il y avait deux grandes tables. La boîte à gants était sur l'une d'elles, le four à induction sur l'autre. Des boîtes de produits chimiques et tout un tas d'autres matériaux étaient posés un peu partout, sur l'évier, par terre. Dix jours après avoir passé une commande aux Établissements Walker, de Philadelphie, un camion de livraison était venu et deux types avaient déchargé toute ma commande au beau milieu du living. Il y en avait pour plus de 2 000 dollars, mais Walker nous avait accordé un crédit. Nous avions arrangé ça par téléphone, j'avais mentionné mon appartenance à Princeton plusieurs fois de suite, évidemment, et ils avaient accepté 500 dollars d'acompte. Bobby leur avait envoyé un chèque.

La boîte était superbe, en plastique transparent; elle faisait 1 mètre sur 1 mètre; elle était pourvue d'une porte étanche, et les gants collants de plastique blanc destinés à manipuler l'intérieur étaient fixés sur un des côtés. On pouvait travailler sur ce que contenait la boîte sans avoir besoin de la toucher ou sans courir le risque que les particules ou des molécules de gaz s'échappent à l'air libre.

Bobby me suivit jusqu'à l'évier pendant que je vérifiais la bonne qualité des produits chimiques : cristaux d'acide oxalique (2,83 dollars les 500 grammes seulement), une bouteille d'oxyde de magnésium, du calcium métallique, des cristaux d'iode, une bonbonne d'argon, une bouteille d'acide nitrique. Je désignai à Bobby une bouteille d'acide hydrofluorique posée par terre ; il me l'apporta et la déposa sur l'évier, à côté du reste.

La veille, Bobby et moi, nous avions vidé les trois conteneurs de plutonium. Chacun renfermait un tube en inox à l'intérieur duquel se trouvait un flacon en plastique de 12 centimètres de diamètre et de 1,20 m de long. Chaque flacon contenait 10 litres de nitrate de plutonium, soit environ 2,500 kg de plutonium-métal en solution.

Je pris un des flacons, délicatement, et versai tout aussi délicatement un peu de son contenu liquide dans une casserole en porcelaine.

— Tu sais, dis-je à Bobby, on aurait sûrement pu se débrouiller avec seulement deux de ces flacons. Mais avec trois, c'est encore mieux. Nous sommes assurés de ne manquer de rien.

Après avoir calculé le seuil de masse critique (phase alpha), pour une sphère de plutonium « 239 » dans un réflecteur de paraffine de 15 centimètres, j'en ai déduit que j'avais besoin de 5,500 kg environ. Cela ne doit pas vous dire grand-chose. Je m'en doute, mais en gros cela signifie qu'avec deux flacons seulement je pouvais espérer provoquer une explosion *virtuelle*, tandis qu'avec trois flacons, j'étais certaine de pouvoir provoquer une explosion *réelle*. Bobby me regardait faire, assez sceptique, mais il s'abstint de me dire quoi que ce soit.

J'achevai de verser le restant du liquide dans la casserole, reposai le flacon et restai là, un instant, sans bouger.

— Et maintenant ? s'enquit Bobby.

Il était environ 10 heures du matin. Dehors, tout était calme, il ne faisait pas trop chaud. Pas de gosse qui braillait, pas de bagarres dans la rue. Le soleil entrait par la fenêtre de la cuisine, faisant reluire toutes les casseroles ainsi que les produits chimiques entreposés près de l'évier.

— Eh bien, ai-je dit, tout est très simple. Si tout ce que nous voulons c'est une simple réaction en chaîne, on peut l'obtenir avec la solution de nitrate, telle qu'elle est là dans le flacon. Mais ça n'explosera pas avec efficacité. La solution chauffera, s'évaporera, puis fera éclater la bombe avant qu'une quantité suffisante d'énergie ait pu s'accumuler. Si j'étais vraiment paresseuse et pas du tout concernée par mon travail, je pourrais tout simplement faire bouillir la solution dans la casserole jusqu'à ce que toute l'eau s'évapore et utiliser ensuite les cristaux qui se seraient déposés au fond de la casserole. Nous pourrions faire une bombe à partir de ces cristaux. Mais ce serait une mini-bombe qui ne ferait pas plus d'un dixième de kilotonne, l'équivalent de 50 kilos de T.N.T. Or, nous voulons quelque chose de beaucoup mieux, n'est-ce pas ? Enfin, quoi, je n'ai quand même pas passé trois ans à étudier la chimie nucléaire simplement pour faire bouillir de l'eau...

— Alors qu'est-ce tu vas faire ?

Il était appuyé contre le rebord de l'évier, l'air quelque peu inquiet ; il n'aimait pas que ce soit moi qui commande, et encore moins ne pas comprendre vraiment ce qui se passait.

— Alors, ai-je répondu, nous allons réduire et transformer la solution de nitrate en plutonium-métal. C'est une procédure classique, quoique très barbante. La seule chose qui lui donne finalement de l'intérêt, du piquant, c'est ce qu'on obtiendra au terme du processus : le plutonium.

J'ai posé la casserole de nitrate sur l'une des tables. C'était aussi incolore que de l'eau ; puis j'ai versé dedans les cristaux d'oxalique. Au bout de trente minutes, une boue liquide, caca d'oie, s'était déposée au fond de la casserole : oxalate de plutonium. Avec un entonnoir tenu au-dessus de l'évier, j'ai filtré ce liquide boueux. Après avoir extrait la boue, je l'ai versée dans une casserole en porcelaine puis je l'ai mise dans le four de la cuisinière. Quand elle fut sèche, je l'ai sortie du four.

Penché sur mon épaule, Bobby observait cette espèce de petit morceau de gâteau mi-jaunâtre, mi-verdâtre qui était dans la casserole.

— Qu'est-ce que c'est ?

— De l'oxalate de plutonium anhydride.

— Ça ne me dit pas grand-chose.

Je renversai le gâteau dans une assiette. Bobby est resté là à me regarder tandis que je prenais le flacon et que je versais un peu de solution de nitrate dans la casserole. J'ai pétri un premier morceau de « gâteau », puis un second, puis un troisième, jusqu'à en avoir un peu plus de 300 grammes. Ensuite, j'ai placé tous mes gâteaux dans un creuset en graphite hermétiquement clos, relié à une éprouvette de graphite par un tube. J'ai posé tout cela sur la cuisinière, l'éprouvette sur le brûleur, et j'ai versé de l'acide hydro-fluorique dans le flacon.

Ça s'est mis à fumer comme un volcan. J'ai allumé le brûleur sous l'éprouvette : un nuage jaunâtre d'hydrogène gazeux s'est formé dans l'éprouvette, puis dans le tube, puis finalement dans le creuset contenant le gâteau d'oxalate de plutonium. Je fermai hermétiquement le creuset avec un bouchon. C'était le moment drôle de l'opération. Un four à induction pourvu d'un tube Léco modèle 521-L est quelque chose de très impressionnant. C'est une grande boîte chromée, brillante, étincelante. Et si elle est bien à vous, si vous n'êtes pas obligé de faire la queue pour vous en servir au laboratoire de l'université, alors c'est un rêve.

Elle coûte 1 530 dollars et elle était là, sur la table, branchée, toute neuve, n'ayant jamais été utilisée. J'y ai mis le creuset et j'ai chauffé le four à 500 degrés centigrades.

Une demi-heure plus tard, j'ai éteint le four et sorti le creuset : à l'intérieur se trouvait un dépôt de fluorure d'uranium.

Puis je recommençai cette même opération avec 300 autres grammes du gâteau d'oxalate. Bobby s'impatientait. Moi, j'étais en train de faire une bombe atomique et lui se permettait une attitude du genre : *comment-se-fait-il-que-ce-soit-si-long?* Il m'a dit :

— Pourquoi ne fais-tu pas tout d'un coup? Pourquoi fais-tu ça petit bout par petit bout?

— Tout simplement parce que si l'on faisait tout en une seule fois, on pourrait obtenir une masse critique et provoquer une réaction en chaîne. Tu ne veux pas que nous sautions avec la bombe, n'est-ce pas?

— C'est sûr. (De ça, au moins, il était sûr.)

Pour l'étape suivante, je pris une petite poignée de poudre d'oxyde de magnésium, je la mélangeai à un peu d'eau et j'en fis une pâte. Je l'ai pétrie avec mes mains jusqu'à ce qu'elle devienne comme de l'argile, puis j'en ai tapissé l'intérieur d'un autre creuset de graphite que j'avais acheté chez Walker pour exactement 4,89 dollars. J'ai déposé un peu plus de 500 grammes de fluorure d'uranium dans le creuset. J'ajoutai 170 grammes de calcium et 50 grammes d'iode. Je pris la bouteille d'argon et versai très soigneusement le gaz sur les mélanges chimiques contenus à l'intérieur du creuset. L'argon est très lourd et reste immobile sur les mélanges sans danger. J'ai mis le couvercle sur le creuset et je l'ai fermé hermétiquement. Puis j'ai placé le creuset dans le four que j'ai chauffé à 750 degrés centigrades. A cette température, on obtient une réaction avec les éléments contenus dans le creuset et tout le mélange monte à une température de 1 600 degrés centigrades ; puis, dans les dix minutes qui suivent, ce mélange redescend à 800 degrés.

J'allai dans le living-room, je m'assis sur le sofa et je dis à Bobby que nous avions une heure à attendre pendant que le truc cuisait dans le four. Et cette heure-là fut le seul moment où je pus lui parler et où il se détendit un peu.

Assis sur un tabouret de bois, il regardait tout le bazar qui chauffait dans la cuisine.

— Détends-toi, Bobby, ai-je dit. Reste assis, tout ira bien.

Il vint s'asseoir à côté de moi sur le sofa, mais il était contrarié et inquiet.

— Ça va, Bobby, ai-je dit. Tout est au poil.

— Je sais, Aizy. Je sais que tu sais ce que tu fais.

— Oui, mais tu as du mal à y croire, n'est-ce pas ?

— Je ne suis pas inquiet, Aizy.

— Tu es toujours inquiet.

— Non, je ne suis pas inquiet.

— Tu es si contracté tout le temps. Tu ne te détends jamais. Pourquoi ne m'as-tu pas dit bonjour, l'été dernier, quand je t'ai croisé sur le campus et que tu te promenais avec ton père ?

— Mon père est un homme difficile, Aizy.

— Et alors ?

— C'est quelque chose que je ne peux pas expliquer.

— Essaie ; je voudrais savoir.

— Nous ne nous entendons plus comme avant.

— Pourquoi cela?

Il bougea un peu, voulut me dire quelque chose mais prit le parti de se taire.

— Je veux savoir, Bobby. Je veux savoir à quoi tu penses tout le temps. Tu es toujours si contracté, si renfermé. Tu devrais parler, te confier à quelqu'un.

Il se taisait toujours.

— Parle-moi, ai-je dit.

— As-tu déjà lu dans les journaux l'histoire du petit lapin abandonné par sa mère; quelqu'un le trouve, le mêle à une portée de chats et il est élevé par la chatte avec les autres chatons de la portée, grandissant avec l'idée qu'il est chat, ne sachant pas qu'il est différent, qu'il est lapin. Puis, devenu adulte et rencontrant d'autres lapins, il ne sait pas comment se comporter, et il n'accepte pas les lapins parce qu'il croit qu'il est chat. As-tu déjà lu ce genre d'histoires dans les journaux?

— Oui.

— Ça a l'air terriblement con, non?

— Qu'est-ce que tu veux dire?

— Je veux dire que c'est comme ça que moi je ressens les choses.

— Comme un lapin?

Il sourit :

— Non, c'était simplement une comparaison, Aizy, quelque chose qui peut sembler ridicule, je le sais, mais moi, j'ai toujours été élevé parmi des Blancs. Mon père est juge et il s'est toujours attaché à fréquenter les Blancs. Dans une certaine mesure, je pense qu'il ne pouvait pas agir autrement. Tous les politiciens qu'il côtoyait, les autres juges — ses pairs —, les businessmen, etc., étaient des Blancs. Je suppose qu'il ne voulait pas habiter un quartier noir où il se serait senti diminué socialement, parce qu'il craignait que lui et sa famille n'aient un niveau de vie inférieur aux autres, c'est-à-dire à ces Blancs qu'il voyait et côtoyait tout le temps. Il voulait vivre là où les Blancs vivaient, posséder ce qu'ils possédaient, mettre ses enfants dans leurs écoles, tout, quoi! Il sentait les choses comme cela, naturellement, je suppose. Et c'est à cause de lui que, ma sœur et moi, nous avons grandi dans une *bulle*, parmi les Blancs. Jamais personne ne m'a fait sentir que j'étais un Noir. Je n'ai vraiment commencé à réaliser que j'étais un Noir que depuis deux ou trois ans seulement, quand j'ai quitté la maison et que j'ai rencontré d'autres Noirs. A ce moment-là encore, oui, même à ce moment-là, je ne sentais pas que j'avais quoi que ce soit en commun avec eux, mais au moins j'ai commencé à me rendre compte que j'étais un Noir, vraiment un Noir et pas seulement que ma peau était noire...

— Je vois ce que tu veux dire.

— Tous les automnes, mon père allait à la chasse avec d'autres juges et des gros businessmen du Michigan. Comme j'avais toujours voulu aller avec lui, pour mes treize ans il m'a acheté une carabine et il m'a emmené; deux autres chasseurs avaient également emmené leurs fils avec eux. J'ai beaucoup aimé cette chasse, je me suis beaucoup amusé et il ne m'est pas venu à l'esprit que j'étais différent d'eux, jamais personne ne m'a dit quelque chose qui me fasse sentir différent. J'étais comme quelqu'un qui, ayant une balafre sur la figure, y est tellement habitué qu'il ne la voit même plus quand il se regarde dans une glace. Par la suite je suis retourné chasser avec mon père chaque automne. Durant toute mon adolescence, nous fûmes très proches l'un de l'autre. Après ma première année à Princeton, je suis revenu à la maison et j'ai tenté de lui parler des Noirs, des problèmes des Noirs. Mais, chaque fois que j'abordais ce sujet, ou il changeait de conversation, ou il quittait la pièce. Il était évident qu'il ne voulait pas entendre parler de ça. C'était comme s'il ne voulait plus m'écouter dès que je soulevais ce problème. Puis ma sœur est partie en Afrique avec le Corps des Volontaires de la Paix, mais il ne voulut jamais entendre parler de ça non plus. Un été, je suis allé rendre visite à ma sœur, en Afrique, et j'y ai vu des choses terribles, Aizy. Après mon retour d'Afrique, mon père et moi nous n'avons jamais pu nous entendre comme avant. Il ne pouvait pas comprendre. J'admirais ma sœur de faire ce qu'elle faisait. Elle était sortie de la *bulle*, elle avait découvert qui elle était, elle était partie et elle faisait quelque chose pour être elle-même. Je me rappellerai toujours certaines choses que mon père m'a dites une fois. Nous étions partis à la chasse et nous couchions dans un pavillon appartenant à un de ses collègues. Une nuit, quand tous les autres chasseurs dormaient, mon père s'est mis à me dire combien ces hommes étaient des types bien et que dans la vie on pouvait être tout ce qu'on voulait à condition de le vouloir, d'être fort, déterminé et de n'avoir aucun scrupule. Il m'a dit que dans la vie il y avait seulement deux moyens d'obtenir ce qu'on voulait. Le premier c'était d'être diplomate avec les autres, de les charmer, de faire en sorte qu'ils vous aiment et vous respectent. L'autre moyen, c'était de les écraser. Sa préférence allait au premier moyen, dans la mesure où ça marchait presque toujours. Si on savait exactement comment charmer les gens, on pouvait avoir presque tout ce qu'on désirait dans la vie. Mais, dans le cas contraire, c'est-à-dire à défaut de posséder ce charme ou si ce pouvoir de charmer ne suffisait pas, il m'a dit qu'il fallait alors se donner, se forger des armes, afin d'écraser et de terrifier les gens. La moitié de tout ce que possèdent ces hommes, m'a-t-il dit, ils l'ont conquise parce que les gens les aiment, les respectent et leur font confiance. Mais l'autre moitié, ils l'ont conquise parce que les gens ont peur d'eux, peur d'être écrasés par eux. Oui, c'est ce qu'il m'a dit, cette nuit-là, comme s'il me transmettait un message, un héritage...

— Où est ta sœur, maintenant?

Il eut un sourire en pensant à elle.

— Toujours en Afrique. Elle a trouvé ce qu'elle devait faire, et elle le fait. Je l'envie.

— Tu as trouvé, toi aussi.

Il me regarda et dit :

— Oui, c'est vrai. Maintenant, j'ai trouvé. Avant je pensais, bon, je suis à l'université, j'étudie les sciences politiques; ce que je vais faire, c'est potasser dur, faire de la politique et essayer de faire des choses une fois que je serai au gouvernement. Mais c'était une façon de fuir; au bout d'un certain temps, je l'ai compris. Je veux faire quelque chose de direct, quelque chose d'immédiat dont je puisse évaluer les effets par moi-même. Quelque chose de personnel dont je serai l'auteur direct, si tu comprends ce que je veux dire.

Je comprenais très bien. C'est à ce moment-là que j'ai

compris pour la première fois ce qu'il voulait faire avec la bombe. Mais je ne l'ai pas pris au sérieux parce que je savais que ça n'était pas possible. J'avais pitié de lui, je comprenais à quel point il avait besoin de s'affirmer, de se prouver quelque chose à lui-même, bref de se débarrasser de toute cette merde blanche que son père lui avait collé sur le dos depuis tant d'années. Mais ça ne marcherait pas, pas avec cette bombe. Il rêvait, mais je ne le sentais pas capable de concrétiser ses rêves, de les réaliser, d'autant plus que c'était moi qui faisais la bombe, pas lui. Bobby était un rêveur, moi non. Je savais, moi, ce qu'il allait advenir de cette bombe.

Après être restée pendant près d'une heure sur le divan, je retournai dans la cuisine, j'enfilai les gants d'amiante à carreaux rouges et blancs que j'avais achetés au rayon des barbecues, à Bloomingdale, et je sortis le creuset du four. Bobby me regardait pendant que je le posais à côté de l'évier.

— Tu es bien jolie avec tes gants, Aizy, on dirait une fée du logis nucléaire.

C'était bon de l'entendre plaisanter.

Je retournai m'asseoir dans le living en attendant que le creuset refroidisse, mais Bobby avait perdu son envie de parler. Il semblait n'avoir plus rien à me dire. Il restait assis là, plongé dans ses pensées, ruminant ses rancunes, rêvant ses rêves. Oui, j'avais assez pitié de lui. Loin de Princeton, dans ce minable appartement de Stanton Street, il ne ressemblait plus au bel étudiant noir que j'avais connu là-bas. Les odeurs, les bruits de la rue, les tas d'ordures, d'immondices répandus sur les trottoirs, ces ivrognes, ces junkies, tout ce triste univers n'était vraiment pas le sien. Ce monde-là était celui de Stoop, pas celui de Bobby.

Quand le creuset fut à la température de la pièce, je le portai sur la table et le mis dans la boîte où je plaçai aussi un bol d'acide nitrique, un bol d'eau, une paire de pinces en acier inoxydable, un sac en plastique et une ficelle de 30 centimètres de long.

Je me sentais tendue. Bobby me regarda fermer la boîte. J'enfilai les gants et retirai le couvercle du creuset. Je penchai le creuset et regardai à l'intérieur. Elle était bien là, à l'intérieur du creuset, petite noisette auréolée de cristaux d'iode aux reflets rouge et bleu et d'un dépôt de déchets de calcium incolore. J'étendis la main, pris la noisette et la plongeai dans le bol d'acide nitrique. Je remuai le mélange avec les pinces, le retirai du creuset puis rinçai le tout dans un bol d'eau; je pris alors la chose dans mes mains gantées. C'était argenté et chaud : du plutonium.

Je savais que j'allais l'obtenir, bien sûr, mais en le tenant pour de bon dans ma main je ne pouvais pas encore y croire. La chaleur qui en émanait était due à la désintégration alpha : des électrons éclataient à la surface, s'enfonçaient d'un millième de centimètre dans mes doigts, brûlant ma peau. Ils étaient sans danger. Mais le métal, lui, était dangereux : si quelques infinitésimales particules de cette noisette s'échappaient dans l'appartement et que quelqu'un en respirait même une infime quantité, il en mourrait dans le mois.

Je mis la noisette de métal dans le sac en plastique, fermai le sac solidement avec la ficelle et le sortis de la boîte. Je le tendis à Bobby et il me regarda en ayant l'air de me demander s'il avait le droit de le toucher. Je luis dis :

— Vas-y, prends-le.

Il le prit dans sa main.

— C'est chaud, dit-il.

— Ce n'est pas dangereux.

Il me fit un grand sourire et me tendit le sac contenant la noisette.

— Et maintenant?

— On recommence la même opération.

— Encore!

— Oui, nous recommencerons jusqu'à ce que la solution soit totalement épuisée et que nous ayons obtenu un petit tas de noisettes pareilles à celle-ci.

— Et ensuite?

— Doucement! Il va nous falloir plusieurs jours pour faire cela.

— Mais qu'est-ce qui se passera ensuite, que feras-tu après?

— Je ferai fondre les noisettes en une seule masse.

— Et puis?

— J'en ferai une boule.

Je pris l'éprouvette et versai une nouvelle solution de nitrate. Je savais que Bobby ne s'intéressait pas vraiment au mode de fabrication de la bombe, il voulait seulement avoir l'impression de commander, être sûr que personne ne lui contestait son rôle de chef.

— Et puis après, après que tu auras fait cette boule?

— Ça ne t'intéresse pas vraiment de l'apprendre, Bobby, tu le sais aussi bien que moi. Fais-moi seulement confiance et tout ira bien. Nous aurons notre bombe. Stoop doit t'attendre. Va donc le rejoindre.

— Aizy, je veux savoir ce que tu fais. Je ne te demande pas de me faire un cours de chimie, mais simplement je ne veux rien ignorer des phases essentielles de la fabrication.

— Ensuite, nous incorporerons la boule de plutonium dans 10 centimètres de cire, les neutrons émis par le plutonium seront renvoyés dans le métal par la cire. Quand nous aurons concentré assez de neutrons à l'intérieur de la boule, nous pourrons déclencher l'explosion. La cire aide également à maintenir le plutonium compact quand il commence à exploser, elle ralentit le processus, allonge la durée de l'explosion. Cela te satisfait-il?

Je revins près de l'évier et versai des cristaux d'acide oxalique dans la casserole où se trouvait la solution de nitrate. Il m'était parfaitement désagréable que Bobby me bombarde et m'assomme de toutes ses questions, alors que je savais pertinemment qu'il se foutait pas mal de ce que je pouvais faire, voulant seulement me faire voir qu'il était le patron.

— Compris, dit-il, et ensuite?

Cette fois-ci, je ne répondis pas.

— Merde, Aizy, moi, je ne suis pas Stoop. Tu peux te foutre de la gueule de Stoop tant que tu veux. Mais moi, je veux que tu m'expliques comment tu as l'intention de t'y prendre pour faire cette bombe. Alors, arrête de faire ta pimbêche et dis-moi ce qui va se passer ensuite.

Il était à côté de moi près de l'évier et il m'obligea à me retourner vers lui en me saisissant par l'épaule.

— D'accord, dis-je, ensuite nous ferons fondre la boule de plutonium.

— Bien.

— Puis nous l'envelopperons d'une couche de cire.

— Suivi.

— Et puis, nous incorporerons tout cela ensemble, le plutonium et la cire, dans deux récipients d'aluminium, de façon à obtenir une sphère.

— Et puis?

— Et puis, nous armerons le tout avec les charges de plastic, nous y fixerons les détonateurs en les branchant dessus, et ça sera prêt.

— Merci, Aizy.

— De rien, je t'en prie.

— Aizy, merde, qu'est-ce qui t'arrive?

— Tout va bien, bon dieu! Simplement, je n'aime pas être traitée comme une machine, comme tu traites Stoop.

— Je ne traite personne comme ça, Aizy; tu t'imagines des choses. Je voulais seulement savoir comment on s'y prend. Tu ne peux pas m'en vouloir de chercher à m'informer.

— Bien sûr que non.

— Qu'est-ce que tu vas faire maintenant?

— Je vais finir de préparer ce morceau de gâteau.

— J'ai dit à Stoop que j'allais le rejoindre.

— Je sais. Alors va le rejoindre.

— Aizy...

Je me retournai vers l'évier, plaçai un papier-filtre dans l'entonnoir et continuai mes travaux de cuisine. Bobby partit, j'entendis la porte claquer.

Je travaillai encore trois heures. Il commençait à faire sombre dehors. J'allumai; j'étais en train de finir mon troisième gâteau quand Bobby et Stoop rentrèrent. Au bruit qu'ils faisaient, ils n'avaient pas dû aller au cinéma, mais plutôt dans un bistrot. Ils passèrent devant moi sans m'adresser la parole, puis ils allèrent s'asseoir sur un des lits en se donnant des coups de poing et en rigolant. Ils n'arrêtaient pas de rire et de se faire des messes basses en jetant des coups d'œil dans ma direction. Ils ne me dirent pas un mot, ne me demandant même pas comment évoluaient mes petits travaux. Je me sentais comme une femme au foyer qui n'a pas cessé d'être à ses fourneaux de toute la journée et à qui personne ne prend la peine de demander ce qu'il y a de prêt pour le dîner. Ils se passaient un objet qu'ils regardaient avec des airs de conspirateurs. C'était un revolver, pas celui de Stoop parce que le revolver de Stoop était noir et que celui-là était argenté, en chrome ou en nickel. Je dis :

— Merde, qu'est-ce que vous foutez avec ça?

Stoop dit :

— Ta gueule, femelle!

Je pris une bouteille pleine de je ne sais plus quoi et je lui criai :

— Ne m'appelle plus jamais « femelle », ou je te fais exploser la gueule avec ça!

Bobby pointa son revolver sur moi :

— Calme-toi, Aizy.

— Calmez-vous vous-mêmes. Qu'est-ce que vous faites avec ça?

— C'est une arme de protection supplémentaire.

— Nous avons déjà une arme de protection. Stoop a un revolver. Nous n'avons pas besoin de toutes ces armes.

— Eh bien, à partir de maintenant, j'en ai un moi aussi.

French tenait son revolver dans la main, le soupesant, jouant avec, le palpant. J'ai dit :

— Il est armé le fils du juge, maintenant. Bravo! Tu es un homme, Bobby...

CHAPITRE XVII

— T'es vraiment bien roulée, poulette!

Stoop s'assit à côté de Bobby French sur le lit. Ils revenaient d'un bar au nord de la ville. A l'autre bout de l'appartement, Aizy travaillait sur la bombe. Stoop tenait dans ses mains le revolver chromé et, tout en parlant, ses yeux regardaient nerveusement les deux caisses de bois posées par terre.

Ces deux caisses contenaient des pains de plastic explosif C/4. Bobby avait pensé qu'il pourrait se procurer le C/4 légalement en se faisant passer pour un diplômé de l'École des mines et en montrant sa carte d'étudiant de Princeton. Mais, après réflexion, il n'avait pas voulu prendre ce risque; quand Stoop lui avait assuré avec une grande fierté de professionnel qu'il pouvait voler le plastic tout aussi facilement qu'il aurait volé des cigarettes ou du whisky, Bobby avait été d'accord. Alors que le vol en lui-même n'avait aucunement effrayé Stoop, la vue du C/4 le terrifiait. Il observait les deux caisses avec beaucoup de crainte.

French sourit de voir Stoop si inquiet :

— Oui, lui dit-il, c'est de la dynamite, la poulette!

Stoop riait jaune :

— Mec, ce truc-là me fait froid dans le dos. J'aime pas ce truc-là, mec.

— Aucun problème, Stoop. Ne t'inquiète pas.

— Dis donc, t'as le cul assis sur un tas de trucs qui pourraient faire sauter tout l'immeuble et tu me dis de ne pas m'en faire? C'est pour toi que je m'en fais. T'es complètement dingue, mon pote.

Il se mit à rire.

— Stoop, pour faire exploser ça, il faudrait une sacrée secousse.

102

— Quand j'étais gosse, des types de Greenwich Village ont été pulvérisés parce qu'ils faisaient les cons avec des explosifs et des bombes.

— Aizy sait ce qu'elle fait, Stoop. Calme-toi.

Les yeux de Stoop se posèrent sur la fille en blue-jean dont les bras étaient plongés à l'intérieur de la boîte à gants.

— Comment ça marche entre vous deux?

— Très bien.

— Depuis combien de temps tu la connais?

— Depuis pas très longtemps, quelques semaines...

— Tu la baises?

— Tu sais bien que oui.

— Ouais. Qu'est-ce qu'elle est en train de faire en ce moment?

— Elle transforme le liquide en métal de manière à pouvoir modeler une boule qui constituera le noyau explosif de la bombe.

— Et si ça explosait pendant qu'elle travaille dessus?

— Impossible.

French aurait voulu que Stoop cesse de penser à la bombe et qu'il se branche sur Aizy.

— J'espère qu'on ne t'empêche pas de dormir quand nous baisons ensemble, dit-il.

Il voulait mettre Aizy dans les bras de Stoop, car si Stoop tombait amoureux d'elle, Aizy ne risquerait plus jamais de leur fausser compagnie; Stoop l'aurait au doigt et à l'œil. Stoop se mit à rire, les yeux fixés sur Aizy qui travaillait toujours dans la boîte à gants.

— Non, mon vieux. Les coups que vous tirez ensemble m'endorment immédiatement. Je devrais amener ma bonne femme ici.

— Tu n'aimes pas Aizy?

— Elle est à toi, mon vieux. Stoop ne baise jamais avec la fille d'un copain.

— C'est des conneries.

— Pas tant que ça.

Ils rigolèrent doucement tout en observant Aizy.

— Moi, ça m'est égal, Stoop, mon frère. Je ne suis pas jaloux. Si tu veux tirer un coup avec elle, vas-y. Elle t'aime bien.

— Pas question.

— Pourquoi pas? Elle adore ça. Elle peut très bien se faire baiser par nous deux. Tout à l'heure, j'irai prendre l'air et tu n'auras qu'à essayer de tirer un coup avec elle, pour te faire la main.

— Qu'est-ce qu'elle est en train de faire, en ce moment? demanda Stoop.

Aizy était maintenant passée du caisson à gants au four à induction. French pensa que Stoop, l'homme d'action, n'aimait pas qu'un jeune mec de l'université lui refile ses filles ou l'alimente en chair fraîche, parce que lui, Stoop, le grand homme d'action, pouvait se fournir en femmes où et quand il voulait, sans aide, tout seul.

— Je ne sais pas, Stoop. Mais ne t'inquiète pas, elle sait ce qu'elle fait.

Stoop regarda French et eut un large sourire, un grand sourire confiant, solidaire, quelque chose comme un clin d'œil de complicité fraternelle.

— Hé! vieux, dit Bobby, repasse-moi mon flingue!

— Ouais, prends-le, c'est à toi, prends-le.

Et Stoop tendit à French le beau revolver chromé.

CHAPITRE XVIII

— Hé! Stoop, qu'est-ce que tu trimbales dans ta boîte?

Un jeune homme mince, blond, en sandales et en jeans sale était sorti du snack « Cuba Libre » et avait attrapé Stoop par le bras.

Stoop se recula. Il portait une grande caisse en bois; il portait cette caisse depuis la station de métro Delancey et il ne voulait pas se faire remarquer, ni surtout se laisser emmerder.

— Mon cher Stoop, te souviens-tu de moi? Non? Tu ne me remets pas, vieux?

Stoop regarda l'homme mais ne le reconnut pas. Ça devait être un junkie, un type à qui il avait dû vendre de la came avant de se faire entauler.

— Laisse-moi partir avant que je te casse la gueule, dit Stoop.

L'homme lâcha le bras de Stoop mais resta à sa hauteur, sur le trottoir, lui bloquant le passage.

— Hé! Stoop, reste calme. Relaxe! Essaie de te rappeler. Je veux juste causer un peu avec toi, mon pote.

— Je te connais pas. Tire-toi de mon chemin, bordel!

Stoop fit un pas en avant, avec la caisse dans ses bras, et bouscula l'homme violemment, d'un coup d'épaule. C'est à ce moment-là qu'il sentit quelque chose de dur et de familier s'enfoncer dans ses côtes, juste sous sa cage thoracique. L'homme lui dit :

— A l'école, fils de pute!

Devant eux, de l'autre côté de la rue se trouvaient une école et un terrain de jeux entourés de clôtures grillagées. C'était l'été : tout était désert. L'homme blond — son bras droit pointé dans les côtes de Stoop, tandis que de

l'autre il feignait d'aider ce dernier à porter sa caisse —
guida Stoop en direction de cette école. Ils franchirent un
portail cassé, traversèrent un terrain de basket-ball bétonné
et descendirent une douzaine de marches jusqu'à une
petite porte par laquelle ils accédèrent à un sous-sol.
Stoop vit des sachets blancs déchirés et des bouts d'allu-
mettes noircies répandus sur le sol.

— Écoute, mon vieux, dit-il à l'homme. Je n'ai rien.
Je ne fais plus ce genre de trafic. Je n'ai pas vu un gramme
de came depuis dix mois, alors pourquoi est-ce que tu
m'emmerdes?

Il était inquiet à cause de la caisse; si cet enfant de
salaud voulait la caisse, il allait lui...

— Assis! ordonna le type blond.

Stoop s'assit sur une marche; il tenait la caisse sur ses
genoux. Le type referma la porte.

— Je suis très déçu que tu ne te souviennes pas de moi,
Stoop, très déçu...

— Je t'ai déjà vendu de la came, à toi?

— Plusieurs fois.

Le type souriait d'un petit rire froid, sans aucun humour.

— Ah ouais! Je me souviens maintenant. Tes cheveux
blonds. Ouais, mon vieux, je te remets.

Stoop essaya de sourire, de la manière la plus amicale
qu'il put :

— Tu me tapais en général autour de Delancey, près
du cinéma, c'est bien ça, non? Oui, c'est ça. Comment
vas-tu, mon vieux? T'as l'air en forme, tu te maintiens;
bien sûr que je te remets maintenant.

— Non, Stoop. C'était dans la 96e rue.

Le type souriait toujours mais il n'avait pas retiré sa
main de sa poche.

— Qu'est-ce que tu me veux, mon pote? demanda Stoop.

— Je veux causer avec toi, Stoop. Mais d'abord, soyons
francs : avoue que tu ne te souviens pas du tout de moi.

— J'avoue, je ne me souviens pas de toi. Comment
est-ce que je pourrais me rappeler la gueule de tous les
junkies que j'ai fournis?

— Peut-être qu'une date t'aiderait à te rappeler; 23
décembre, ça ne te dit rien?

Dans la cervelle de Stoop, le rappel de cette date fit

tilt. Car Stoop ne connaissait bien que quatre dates :
la date de son anniversaire, celle de l'anniversaire de sa
mère, la date de l'anniversaire du jour où il était sorti de
la prison d'Attica et cette fameuse date : le 23 décembre.
Oui, il se souvenait maintenant...

Tandis qu'il se trouvait derrière les barreaux grillagés
d'une cellule-parloir souterraine de la Septième chambre
de la Cour Suprême de New York, un avocat commis
d'office lui avait dit exactement, ceci mot pour mot : « Ils
t'accusent d'avoir vendu deux sachets d'héroïne à un flic
clandestin sous la porte cochère du 2352, boulevard de
Broadway, à 8 h 30, dans la nuit du 23 décembre. »

Il n'avait pas protesté; il avait pris un an et toute
cette année-là il l'avait passée à essayer de se rappeler
la gueule de chaque type à qui il avait vendu quelque
chose lors de cette fameuse nuit du 23 décembre : ceux
qu'il connaissait et ceux qu'il ne connaissait pas; ceux
qu'il avait vu se piquer et ceux qui ne l'avaient pas fait;
ceux qui ne pouvaient pas être des flics clandestins et ceux
qui éventuellement pouvaient en être. Il n'avait jamais
trouvé.

— Qu'est-ce que ça peut te foutre le 23 décembre?
dit-il au type blond.

— Mon vieux, ça devrait être une date qui te dise quelque
chose, Stoop. Ça m'étonne que tu ne te rappelles pas cette
date, ni ce qui t'est arrivé cette nuit-là, ni ce que tu as fait.

— Qu'est-ce que tu me veux? Comment est-ce que tu
me connais?

— J'étais justement en train de parler de toi à M. Pitt
l'autre jour, mon cher Stoop...

Stoop se sentit tout à coup mal à l'aise. Il regarda la
main de l'homme enfoncée dans sa poche, la porte et les
murs bétonnés de la cave. Il était piégé. Ce type avait tous
les atouts en main. Stoop n'avait même pas l'avantage de
savoir ce que ce type blond lui voulait.

— Je ne connais pas de M. Pitt. Je dois partir, vieux.
Je ne peux pas m'attarder ici trop longtemps, j'ai des
choses à faire.

Il voulut se lever.

— Reste assis, Stoop! On a des choses à se dire. Y a
certainement des choses que tu veux me dire.

— J'ai rien à te dire, mon vieux. Je sais même pas qui tu es. De quoi tu veux qu'on cause? Qu'est-ce que ce cirque, hein? Arrête tes conneries, dis-moi à quoi tu joues.

— M. Pitt m'a dit que tu faisais un peu l'indic pour lui et que tu l'as rencardé, une fois, sur un délit de vol d'armes. Et puis tu t'es fait prendre et maintenant il y a un mandat fédéral contre toi. Quelque chose relatif à une complicité de hold-up dans une banque. Il m'a dit que si je venais à te rencontrer, je le lui fasse savoir.

— Je ne connais aucun M. Pitt. Tu t'es trompé d'adresse, mec. Je ne sais pas de quoi tu parles.

— Faux! Tu es bien l'homme que je cherche, Stoop. Henry Walston Youngblood, matricule 86755, c'est bien toi?

Stoop ne répondit pas.

— Bien sûr que c'est toi. Maintenant revenons à ce M. Pitt. Qu'est-ce que je vais bien pouvoir lui dire, Stoop?...

— Je connais pas ton M. Pitt.

— Donc ça t'est égal si je lui dis que j'ai vu quelqu'un ressemblant comme un frère à cet Henry Walston Youngblood et qui habite maintenant au 181, Stanton Street...

Stoop était maintenant à moitié mort de peur :

— Comment connais-tu mon adresse?

— Stoop, tout New York connaît ton adresse. Quand on voit un type dans ton genre entrer et sortir régulièrement du même endroit, on en déduit que c'est là qu'il habite. C'est pas très sorcier à deviner.

Stoop regarda les sachets blancs éventrés répandus sur le sol de ciment.

— Le seul mystère là-dedans, c'est de se demander ce qu'un type dans ton genre peut bien fabriquer au 181, Stanton Street. Mais M. Pitt devrait être capable de résoudre ce mystère. Le F.B.I. dispose de tous les moyens nécessaires pour résoudre ce genre de petits mystères. Mais ça, tu ne le savais peut-être pas encore...

Piégé pour piégé, Stoop décida de risquer le coup, d'enfoncer son poing dans la gueule du loup en espérant qu'il n'y perdrait pas plus que la moitié d'un bras.

— Donne-moi une chance, vieux. Je sais que tu es flic. O.K., je t'ai vendu de la came une fois; mais j'ai payé ma faute, pas vrai, en tirant un an de taule, et depuis je ne touche plus à ça. J'ai payé, pas vrai, alors qu'est-ce que tu veux de moi? Donne-moi une chance, je t'ai jamais rien fait, je recommence tout juste à respirer, ne me coince pas maintenant, mon vieux. Je recommence juste à remettre les choses de ma vie en ordre.

— Remettre quelles choses en ordre, Stoop?

— ... Un boulot, mon vieux; d'abord recommencer à me remettre à un boulot...

— Quel genre de boulot, Stoop?

— Un boulot, quoi!

— Où est-il ce boulot?

— Au nord de la ville. J'ai trouvé un job au nord...

— Où ça, au nord?

— Écoute, ne me complique pas la vie maintenant. Laisse-moi une chance. Je ne t'ai jamais emmerdé.

— Qu'est-ce que tu fais au 181, Stanton Street?

— Rien, mon vieux. Absolument rien.

— Qui c'est la femelle blanche?

— Quelle femelle blanche?

Le type sortit la main de sa poche et un éclair d'acier noir vint s'abattre sur l'oreille droite de Stoop; la caisse bascula sur une marche de l'escalier.

— Qu'est-ce qu'il y a dans cette caisse, fils de pute?

— Rien, je te jure. Je ne l'ai pas volée. Laisse-moi partir. Je ne t'ai jamais rien fait. J'ai pas volé, j'ai rien fait de mal, j'ai trouvé du boulot, j'essaie de remettre les choses en ordre, j'ai...

— Doucement, Stoop, relaxe. (Le type était au-dessus de lui maintenant, debout, il le dominait). J'ai jamais dit que t'avais volé quelque chose. Qu'est-ce qui te fait croire que j'allais t'accuser d'avoir volé quelque chose? Comment va ton oreille?

Le type retira doucement la main que Stoop avait portée à son oreille et examina les dégâts. Il ne paraissait plus penser à la caisse.

— Ça n'a pas l'air si méchant que ça, Stoop. Une petite contusion ici, une petite coupure là, mais rien de sérieux. T'as un mouchoir? (Stoop tira de son jeans un mouchoir sale et le colla sur son oreille qui s'était mise à saigner.) C'est bon. Tu ne veux pas que le sang salisse ta belle chemise. Tu es un gentil petit garçon. Demain, ton oreille sera comme neuve...

— Laisse-moi partir, bordel!

— Bien sûr, Stoop. Je ne vais pas te garder en nourrice ici. Pars quand tu veux. Nous sommes dans un pays libre, pas vrai?

Stoop fixait le type, les mains du type; il s'attendait à prendre un autre coup.

— Mais avant que tu ne repartes librement, Stoop, je dois te dire quelque chose. Je vais te donner une chance. Je n'aime pas enfoncer un mec juste au moment où il essaie de se sortir de la merde et d'agir en homme, tu vois ce que je veux dire? Donc, je ne dirai rien à M. Pitt. Je ne peux pas te promettre que, de son côté, M. Pitt ne cherchera pas à te remettre la main dessus, mais je ne lui dirai rien, tu me suis? Simplement, moi, je ne serai pas loin, je vais camper dans le quartier, tu me verras dans les parages. Et si tu as quelque chose à me dire, Stoop, tu sauras où me trouver. Si cette femelle blanche et son petit ami noir cherchent à te refoutre dans la merde, alors tu me le dis, O.K.? J'arrangerai les choses...

— Ils ne me refoutront pas dans la merde. On ne fait rien de mal. On est amis, c'est tout. Lui, je l'ai rencontré en prison, on...

— Tu l'as rencontré en prison, Stoop? Pourtant, il n'a pas du tout l'air de quelqu'un qu'on rencontre en prison. Il est très distingué, Stoop. Où l'as-tu rencontré?

— Je te l'ai dit, en prison.

— Bien, pour aujourd'hui je ne veux pas t'importuner plus longtemps, Stoop. Mais si tu as quelque chose à me dire, tu me le dis, pigé? Tu ne le dis qu'à moi, et à personne d'autre. A qui passes-tu tes informations, en ce moment?

— A personne. Comment est-ce que je pourrais passer des informations quand je ne sais rien de rien.

— D'accord, mais fais gaffe de ne parler à personne d'autre qu'à moi. Tu ne parles qu'à moi, Stoop, et j'essaierai de régler ton contentieux avec M. Pitt. Je ne parlerai pas de toi, Stoop, je te laisserai en dehors du coup, tu saisis? Mais que je n'apprenne pas que t'as parlé à d'autres flics, est-ce bien clair?

Stoop acquiesça de la tête.

L'homme ressortit son revolver de sa poche. Stoop tressaillit :

— Fais pas ça, s'il te plaît!...

— Écoute-moi bien, alors : si tu affranchis quelqu'un d'autre que moi, je te trouerai tellement la peau que tu ne sauras plus par où chier tellement je t'aurai fait de trous. Est-ce que tu m'as compris?

— Ouais, je t'ai compris. Si j'entends parler de quelque chose, je te le dis. Je veux pas d'emmerdes, moi. Écoute, si tu peux m'aider avec Pitt, j'ai vachement besoin de toute l'aide possible.

— Bien raisonné, Stoop : tu as en effet besoin de toute l'aide possible. C'est comme ça qu'il faut penser. Continue à penser comme ça. Et maintenant, tire-toi, du balai!

Alors Stoop remit son mouchoir maculé de sang dans sa poche, ramassa la caisse, sortit de la cave, retraversa le terrain de basket-ball et déboucha dans la rue.

Jusqu'à ce qu'il se retrouve à l'air libre de la rue, Stoop avait senti le regard froid du type blond peser dans son dos.

CHAPITRE XIX

— Puisque vous ne servez pas de thé à vos clients, donnez-nous donc deux gins secs en vitesse, s'il vous plaît!

L'homme aux cheveux blancs et en costume de tweed prononça ces paroles avec le ton glacé et coupant d'un grand bourgeois anglais irrité. Le garçon interpellé lui tourna le dos avec une nonchalance tout américaine et s'éloigna à l'autre bout du bar.

— Je me demande bien pourquoi on ne peut même pas se faire servir deux simples tasses de thé dans le salon d'un hôtel qui, de toute évidence, met son point d'honneur à...

— Chut! tais-toi, je ne peux pas entendre.

— Entendre quoi?

Son épouse — assise à côté de lui — avait passé leur quarante ans de mariage à écouter les conversations des autres. Eût-elle simplement passé la moitié de ce temps à écouter sa conversation à lui...

— Ces deux hommes, là... le Noir est un attaché d'ambassade..., murmura-t-elle à son mari.

— Pour moi, ils sont tous les deux noirs, répondit-il.

Trois jours à New York, et ils devaient gâcher une heure à se faire insulter par des serveurs insolents, tout cela parce que la femme de Jerry Whitman prétendait que cet hôtel était le lieu de rendez-vous de tous les gens du spectacle. La femme de Jerry y avait vu Yves Montand, et ça suffisait à Alice. Lui, il pensa que ce n'était quand même pas la même chose qu'un attaché d'ambassade africain, mais pour Alice tout se ressemblait. Les deux oreilles grandes ouvertes, elle écoutait donc la conversation de ces deux Noirs.

— ... Mais vous devez comprendre que notre ambassadeur ne peut pas... Un...

Un accent anglais, d'Oxford, aurait-on dit. Un type

grand, mince, arborant un costume aussi noir que lui. Il buvait de la bière. Son père devait être un guerrier massaïs et maintenant il plastronnait dans cet hôtel alors que pendant ce temps-là un homme comme il faut ne pouvait même pas se faire servir une simple tasse de thé, choquant!

— ... Pas beaucoup... subir leur condition... survivre avec moins de...

Il fallait dire qu'il avait l'air charmant, celui-là, l'autre Noir. Il ressemblait à l'un de ces banquiers nègres. Bien habillé, lui aussi, c'est rare pour un Américain.

— ... 8 millions... revenu annuel par tête d'habitant : 98 dollars... malnutrition, hélas!... famine évidemment, à moins que...

Oui, la famine. C'est quelque chose que très bientôt nous allons tous connaître. L'Italie est déjà communiste, et la France est menacée de ce même mal, c'est ce qu'a dit Jerry Whitman. Le Moyen-Orient, tous des Rouges. Putains d'Arabes, qu'ils bouffent leur pétrole! Les Arabes et les communistes! Ils vont nous apprendre ce que c'est que la famine!

— ... Finalement, c'est possible, cela pourrait changer le cours de l'histoire...

— L'addition, s'il vous plaît.

Le serveur ne le regardait même pas. Ça va probablement me coûter 10 dollars pour deux gins. La livre vient de tomber au plus bas de son cours et c'est ce moment-là précisément qu'a choisi Alice pour visiter les États-Unis. Pourquoi pas! Dans une paire d'années, l'argent ne vaudra plus rien du tout. « Achetez de l'or, m'a dit Jerry Whitman, misez tout sur l'or. » Un malin ce Whitman! Il est plus intelligent que sa femme, de toute façon, et c'est tant mieux pour lui! Suivre son conseil sans faute quand je rentrerai en Angleterre, s'il me reste toutefois assez d'argent quand Alice aura fini...

— Alice, nous devrions...

— Oui, mon chéri. Ils sont fascinants, tu ne trouves pas? Celui qui a le costume noir travaille aux Nations Unies.

— Où diable est ce maudit garçon?

— Je me demande de quoi ils parlent. Ça a l'air terriblement intéressant.

— Garçon!

CHAPITRE XX

Je modelai un cube d'argile douce de 15 centimètres de côté, puis je creusai en son centre une demi-sphère de 10 centimètres de largeur et de 5 centimètres de profondeur. Je mis le cube à cuire au four, après l'avoir rempli de mes noisettes de plutonium. J'y entassai le maximum de noisettes que je pus et je mis le tout dans le four à induction que je chauffai à 1 200 degrés Fahrenheit. Le plutonium fond à 1 155 degrés. Après avoir attendu une demi-heure, j'ai sorti le moule du four. J'ai cassé le moule d'argile et j'ai obtenu une jolie demi-sphère de métal. J'ai répété l'opération et j'ai assemblé les deux demi-sphères de métal en un seul morceau formant une sphère parfaite de 10 centimètres de diamètre.

Je travaillais le plus possible à l'intérieur de la boîte à gants et je portais un masque sur la figure en vue de filtrer toutes les particules de plutonium qui auraient pu s'irradier dans l'atmosphère. J'enfermai la sphère dans un sac en plastique. Je posai le sac sur la grande table, entre le compteur Geiger et un bol d'aluminium de 40 centimètres de diamètre, rempli de paraffine chaude et fondue. J'ai attendu que la paraffine ait refroidi et durci suffisamment pour supporter le poids du plutonium. Puis j'ai à moitié plongé le plutonium dans la paraffine et j'ai laissé la paraffine durcir complètement.

J'ai rempli de paraffine un second bol d'aluminium identique au premier ; j'ai attendu qu'elle refroidisse un peu, puis j'ai versé le premier bol de paraffine et de plutonium sur le second, et je les ai pressés l'un contre l'autre de manière à ce que la moitié visible du plutonium s'enfonce dans la paraffine. La paraffine durcit et j'obtins ainsi une

sphère de paraffine contenant une petite sphère de plutonium nichée dans son centre.

Tout ce qu'il me restait à faire à présent, c'était de
souder le bord des deux bols d'aluminium l'un contre
l'autre, puis de recouvrir le tout d'une couche de plastic
C/4 de 15 centimètres d'épaisseur, ensuite de poser les
détonateurs, et tout serait enfin fini.

Si quelque chose clochait et que le plutonium atteignant
une masse critique soit sur le point d'exploser, les tic-tac
du compteur Geiger m'avertiraient du danger. J'étais
debout devant la table et je pensais à ça, inquiète un peu
quand même, à cause d'une possibilité de désintégration.

Quelqu'un donna un grand coup de pied dans la porte.

— Aizy, laisse-moi entrer, c'est moi, Stoop.

J'ouvris et Stoop entra comme un ouragan; il portait
une lourde caisse à bout de bras.

— Tu l'as trouvé! C'est fantastique! Fais-moi voir...

Il posa la boîte par terre, alla à la fenêtre et regarda
attentivement dans la rue. Il avait tout le haut de l'oreille
enflé.

— Qu'est-ce qui est arrivé à ton oreille?

— Rien.

— C'est tout enflé.

Je levai la main pour toucher mais il me repoussa.

— Ne me touche pas, la môme, putain de merde!

— D'accord, Stoop, d'accord. Mais tu devrais quand
même mettre quelque chose dessus. Qu'est-ce qui s'est
passé?

— Rien. Je suis tombé.

Il se détourna de la fenêtre, aperçut le compteur Geiger
et se figea; il écoutait le tic-tac de l'appareil.

— Qu'est-ce que c'est que ça?

— Un compteur Geiger, dis-je.

— Qu'est-ce que c'est ce bruit de tic-tac?

— Des neutrons.

— Te fous pas de ma gueule, môme! Qu'est-ce que c'est
ces tic-tac?

— Ils indiquent si ça va exploser ou non.

— Te fous pas de ma gueule, Aizy!

— Eh bien, vois-tu, certaines particules de neutrons
produits par les réactions à l'intérieur du plutonium

s'échappent du noyau et ne sont plus disponibles pour les autres réactions nécessaires à maintenir une réaction en chaîne, mais si...

— Aizy, te fous pas de...

Il était furieux mais vulnérable. Je tentais de le calmer :

— Je te dis ce qui se passe, Stoop. Maintenant, écoute-moi bien : s'il y a suffisamment de neutrons qui sont renvoyés dans le noyau, alors la réaction en chaîne pourra se maintenir, car la cire qui enrobe le tout les renvoie. Les tic-tac du compteur nous indiquent s'ils sont renvoyés en quantité suffisante à l'intérieur du...

— Arrête-le, arrête-moi ce putain de compteur!...

— Stoop, tu ne comprends pas. Arrêter le compteur ne...

La porte s'ouvrit et Bobby rentra. Il portait un costume et une cravate de banquier.

— D'où viens-tu? lui hurla Stoop.

Il venait de trouver une cible pour décharger son trop-plein de colère.

— Je suis sorti faire un tour.

— Je vois bien que tu es sorti, mais où es-tu allé?

Bobby me regarda :

— Qu'est-ce qui le travaille?

— Ce qui me travaille, mon vieux, c'est que j'aime pas que tu te balades à droite et à gauche. On était d'accord pour rester ensemble ici tant que le truc durerait. Pourquoi t'es-tu sapé comme ça?

— Je devais voir quelqu'un. Quelque chose qui concerne mon père. Ça n'a rien à voir avec ce que nous faisons. Qu'est-ce qui est arrivé à ton oreille, bon dieu!

— Rien n'est arrivé à mon oreille. Ne te mêle pas de ce qui n'est pas tes oignons.

Bobby me regarda. Je haussai les épaules.

— On dirait que quelqu'un t'a cogné, dit Bobby.

— Personne ne m'a ni cogné ni touché. Si quelqu'un me touche, c'est un homme mort.

— Il a dit qu'il était tombé, ai-je déclaré.

— Oui, vieux, je suis tombé, je me suis cassé la gueule en portant vos putains de fusibles. La prochaine fois, vous ferez vos vols vous-mêmes, vous transporterez vos trucs vous-mêmes, compris? Vous ferez tout le sale boulot vous-mêmes, voilà!

— Du calme, Stoop, dit Bobby. Ne te mets pas dans ces états. Ça m'embête que tu te sois blessé à l'oreille, c'est tout. N'en fais pas toute une histoire.

Stoop retourna à la fenêtre et il resta là, le nez collé aux carreaux, sans faire attention à nous, les yeux rivés sur la rue.

CHAPITRE XXI

Pat Walsh s'accroupit et remarqua une forme sombre, devant lui, près de la cheminée. Un ivrogne, probablement, qui était monté là pour dormir. La forme bougea, s'aplatit sur le toit, allongea les jambes et s'immobilisa. Walsh se donna encore cinq minutes puis rampa avec précaution vers l'escalier de secours. Il en agrippa les bords rouillés et lentement se laissa descendre de tout son poids sur le premier barreau, qui se cassa. Il se raidit. Quelqu'un allait appeler la police et Patrick Walsh, inspecteur détective de deuxième échelon serait appréhendé par ses collègues flics pour tapage nocturne sur les toits. Ce serait le bouquet — pour lui, pour sa femme, pour ses fils et pour toute la famille.

Sa femme savait qu'il était suspendu d'activité, mais elle ne savait pas pourquoi. Walsh lui avait dit que le lieutenant, son supérieur, avait voulu l'affecter à un autre service, alors il lui avait cassé la gueule. Mais sa femme était intelligente. On ne reste pas suspendu six mois pour avoir cassé la gueule à son lieutenant — pas la première fois en tout cas.

« ... Que s'est-il passé, Paddy? — Je te l'ai déjà dit, j'ai cogné le lieutenant. — Paddy, dis-moi ce qui s'est vraiment passé. » Et s'il était suspendu, pourquoi sortait-il donc au milieu de la nuit? Qu'elle ne s'inquiète pas! Il plaisantait ou quoi?... S'inquiéter, c'était tout ce qu'elle savait faire.

Elle était intelligente, pourtant. Leur vie commune, leur couple étaient menacés et elle le savait. Comment conjurer le sort? Ils s'aimaient toujours autant. Ils restaient couchés sans dormir l'un près de l'autre, la nuit, toutes les nuits, lui s'inquiétant à cause du procureur, de la publicité de son procès dans les journaux, se faisant du souci pour elle, pour les enfants et pour son beau-père (irait-il en prison?...), et elle, là, couchée près de lui, serrée contre lui, s'inquiétant de ce qui l'inquiétait et se demandant pourquoi il ne voulait rien lui dire. Pendant un temps — oh! pas longtemps... —, elle crut qu'il y avait une autre femme. Mais comme elle était très intelligente, elle comprit que c'était quelque chose qui concernait son travail : il était suspendu de service et elle ne comprenait pas pourquoi. Mais lui, rien que de penser à la publicité de son procès dans les journaux, ça lui donnait des sueurs froides, la fièvre...

Elle en deviendrait folle, complètement folle. Ça la détruirait. Et les garçons! Toute cette merde qui les éclabousserait en pleine figure!

Il agrippa la rampe rouillée de l'escalier de secours, regarda en bas, du haut du toit, et se mit à penser. Depuis ce jour où il s'était mis en chasse, c'est-à-dire depuis trois semaines, oui, depuis ce jour où il était allé fouiner au Red Bar, il avait retourné tout New York. Il avait traqué des indics qu'il n'avait pas vus depuis des mois, il avait tabassé des arnaqueurs, acheté des junkies, demandé à être remboursé en informations pour chaque service un peu louche qu'il avait jadis rendu à des fils de pute. Et tout cela l'avait conduit à Stoop. Seul Stoop — ce fils de pute — pouvait lui permettre de se réhabiliter... Stoop, espèce de salaud, si tu ne me sors pas de là, je te troue ton sale cul de nègre pour le compte!

Il attendit encore cinq minutes puis commença de descendre l'escalier. Au premier palier, il ne bougea plus pendant trois ou quatre minutes, afin de s'assurer que tout était calme à l'horizon; puis il se laissa glisser lentement jusqu'au palier inférieur.

La fenêtre était ouverte. Il s'accroupit et se pencha, son visage engagé presque à l'intérieur de l'appartement. Il vit deux lits jumeaux, l'un à gauche et l'autre à droite de la fenêtre; un Noir à gauche, un deuxième Noir et une Blanche à droite. Tous les trois nus. Lequel des deux Noirs était Stoop? Il ne put pas voir. Il fit un effort pour essayer de regarder vers le fond de l'appartement.

Tout ce qu'il put distinguer, c'étaient des formes, des lignes vagues. Puis il entendit quelque chose. Il s'accroupit encore un peu plus sans bouger et écouta ces bruits de tic-tac qui venaient du fond de l'appartement. Que diable cela pouvait-il être? Il tendit l'oreille et essaya d'identifier le bruit; en avait-il déjà entendu de ce genre? Il n'en savait trop rien. Mais avec ce qu'il savait déjà sur Stoop, ces tic-tac le rassuraient. Il avait eu raison de laisser Stoop filer avec sa caisse et de laisser les choses suivre leur cours. Il écouta le tic-tac et sentit ses espoirs renaître. Peut-être... rien que *peut-être*...

Le moment était venu d'avoir une nouvelle petite conversation avec M. Stoop.

CHAPITRE XXII

J'entendis quelque chose remuer sur le toit, un bruit... Bobby dormait à côté de moi, nu, il avait rejeté le drap. Quand je touchai son dos, je sentis qu'il était couvert de sueur. Allongée près de lui immobile, je guettai d'autres sons, puis j'entendis un bruit sourd.

— Y a des cons sur le toit! Hé! vous, là-haut, tirez-vous de ce toit! hurla Stoop depuis son lit qui était situé de l'autre côté de l'escalier de secours.

Des junkies ou des ivrognes montaient sur le toit pour se piquer ou dormir, et nous les entendions quelquefois ramper au-dessus de nous.

Stoop m'avait dit qu'il avait un appartement dans la 111e rue et qu'il y habitait avec une fille qui s'appelait Mamie. Mais il n'allait jamais coucher dans cet appartement. Je pense qu'il voulait surveiller Bobby, de même que Bobby voulait le surveiller.

Stoop hurla de nouveau en direction des « cons » qui étaient sur le toit, puis il se retourna violemment dans son lit et poussa un grand soupir énervé. Quelques instants plus tard, il se rendormit. Lui et Bobby dormaient maintenant tous les deux. J'écoutai le compteur Geiger qui tictaquait sur la table de la cuisine, juste à côté de la bombe. Je l'avais laissé branché *au cas où*. La dernière chose qu'il me restait à faire, c'était de poser mes charges de plastic C/4 sans atteindre la masse critique. Chaque élément du dispositif émettait de plus en plus de neutrons dans le noyau; s'il y en avait trop de renvoyés, c'était l'explosion, le « bang » fatal. Mais plus je pouvais mettre de plastic, plus j'avais de chances de réduire le plutonium à une petite boule compacte et d'obtenir ainsi un bon rendement.

Mais je devrais faire très attention de ne pas me tromper sur la quantité...

J'entendis un nouveau bruit venant du côté de l'escalier de secours, un bruit grinçant, un bruit de pas. Pourquoi ne restaient-ils donc pas tranquilles, là-haut sur le toit? Je détestais entendre des inconnus ramper comme cela. C'était effrayant. Ça me faisait peur. Je restai sans bouger, paralysée, pendant une demi-heure, à guetter d'autres sons, mais je n'entendis plus que la respiration de Bobby et de Stoop, ainsi que les bruits de métronome du compteur Geiger.

Pauvre Elkins! Pourquoi ai-je pensé à lui à cet instant? Tout était redevenu si calme, dans l'appartement; il n'y avait plus que les tic-tac monotones du compteur et la respiration saccadée de ma peur. Oui, pauvre Elkins! Mon échec au D.E.S. n'allait pas favoriser sa carrière professorale. Mon échec lui causait du tort, et il n'avait pas besoin de ça... Une femme comme la sienne devait s'y connaître pour lui faire du mal. Les gens sont tellement salauds.

Ma mère. Mon pauvre père. Bobby et Stoop. Pauvre Bobby!

Bobby croyait qu'il avait barre sur Stoop; il pensait qu'il le *contrôlait* : c'était sa façon à lui de communiquer avec les gens; quant à celle de Stoop, c'était la violence pure et simple; la mienne, c'était la provocation. Je le savais, j'aurais aimé être différente et communiquer autrement, d'une manière plus acceptable, quoi! Bobby pensait que Stoop était une machine utile, aussi utile et dangereuse qu'une voiture ou qu'un revolver. Je ne pense pas qu'il respectait quoi que ce soit en Stoop, hormis sa violence. Bobby avait peur de la violence; pour lui, Stoop était une machine qu'il devait exploiter et garder sous son contrôle; comme moi, je suppose. Bobby voyait seulement ce qu'il y avait à la surface de vous-même — le dessus de l'iceberg — et, dès qu'il croyait pouvoir vous contrôler en surface, il pensait qu'il contrôlait votre personne tout entière. Il ne voyait pas, en vous, les couches plus profondes qui restaient hors de sa portée et qui sont vraiment les plus dangereuses de toutes, vous me suivez?

122

Voilà, je pensais à tout ça et je me demandais ce que je faisais là avec ces deux types. J'étais en train de déconner, une fois de plus.

Un psychanalyste m'avait posé cette question, un jour : « Aizy, vous êtes-vous jamais demandé pourquoi ce genre de choses n'arrive toujours qu'à vous ? Croyez-vous que ce soit seulement de la malchance ? » Ces types-là n'allaient jamais jusqu'au bout de leurs questions et ne disaient jamais ce qu'ils pensaient. Ils voulaient vous l'entendre dire. Je suppose que c'est ça qui les rend heureux. Je sais, M. le pompe-caboche, c'est de ma faute, *mea culpa*, la malchance n'y est pour rien. Je gâche tout moi-même.

Et maintenant je me sens une victime, et cela aussi c'est de ma faute. Ces types-là veulent que vous vous sentiez coupable, et quand vous êtes plein de culpabilité, ils veulent que vous vous sentiez coupable de vous sentir coupable.

Je ne voulais pas me mettre à pleurer ni m'endormir en chialant comme une pauvre idiote, alors j'ai pensé à Bobby, j'ai avancé ma main et je l'ai posée sur son dos. Nous avions fait l'amour avant, mais je n'avais pas aimé. Et puis Stoop était là-bas, dans l'autre lit, et il pouvait tout entendre. J'avais murmuré à Bobby, je lui avais dit douce-ment : « Je ne peux pas maintenant, Bobby, je ne veux pas maintenant, pas quand Stoop est là. » Alors, Bobby a dit très fort : « Hé ! Aizy, ne parle pas si bas, on n'a pas de secret pour Stoop, tout baigne dans l'huile ! » J'aimais Bobby d'une certaine façon, oui, je l'aimais, mais, avec lui, c'était toujours la même histoire, le vieux truc, vous savez : il ne pouvait pas s'empêcher de manipuler les autres, leur esprit comme leur corps. Je m'en foutais, après tout. Je l'aimais vraiment. Je pensais combien il pouvait être doux parfois, comme la première fois quand nous avions fait l'amour dans sa chambre, à Princeton, et qu'il avait embrassé mes cicatrices. Oui, c'était de la comédie, une comédie vraiment grotesque, mais il avait quand même pensé à embrasser mes cicatrices, non ?... Il était assez sensible pour avoir pensé à faire ça. Il y a des gens qui ne peuvent même pas penser à faire ça. Je me suis endormie en pensant à Bobby ; je n'oubliais pas non plus que je devrais faire attention en posant mes pains de plastic C/4 sur l'ensemble du dispositif.

CHAPITRE XXIII

Walsh sortit un couteau de sa poche et fit, en grattant, un petit trou dans la couche de chaux qui recouvrait un des carreaux de la fenêtre.

Il regarda la rue. Deux petits Portoricains jouaient avec une vieille chaise en bois tirée d'un tas d'ordures et qu'ils avaient posée au milieu du trottoir.

Walsh regarda l'entrée du 181, de l'autre côté de la rue, et chercha dans cette épicerie cachère désaffectée quelque chose sur quoi il pût s'asseoir. Il vit des boîtes de conserve et des bouteilles qui jonchaient le sol, des journaux jaunis, des sachets d'héroïne éventrés et un présentoir de pommes chips cassé. Il regarda de nouveau par la fenêtre et, portant la main à son menton, il sentit la barbe qui lui avait poussé. Il regarda sa montre. Il était 8 h 10.

Il était descendu de l'escalier de secours à 3 h 45 ce matin; grâce à sa plaque de police il avait pu prendre trois heures de sommeil dans un hôtel d'Houston Street, puis il avait téléphoné chez lui : « Où es-tu, Paddy? Tout va bien? — Ça va, chérie, tout va bien, tout ira bien, chérie, je te le promets, oui, je te le promets. » La voix de sa femme lui rentrait dans le cœur comme un coup de poignard. Il fallait qu'il tienne sa promesse, d'une manière ou d'une autre. Il avait souscrit pour 100 000 dollars d'assurance-vie et, dans un boulot comme le sien, c'était pas difficile de se faire tuer sans que cela ait l'air de ressembler à un suicide...

Walsh était rentré dans l'épicerie par la porte arrière de celle-ci, que l'on avait fracturée. Le cadenas que les propriétaires avaient posé dessus était pourtant un cadenas très solide mais pas assez solide pour les junkies qui étaient

124

parvenus à fracturer la porte. Et maintenant, il était là, debout sous l'étoile de David, guettant l'entrée du 181. En s'appuyant d'un pied sur l'autre, il observait. Il mettait ses mains dans ses poches, puis il les retirait, ou bien il s'appuyait contre la vitre, puis se redressait, en appui sur son pied gauche puis sur le droit : 9 heures, 9 h 30, 10 heures, 10 h 30. C'est alors qu'il vit Stoop sortir du 181.

Après avoir tourné au coin de la rue, à gauche, Stoop se dirigea vers Norfolk Street. La porte d'entrée de l'épicerie, elle, était encore solidement fermée par des chaînes et un cadenas. Walsh sortit en courant par la porte de derrière et vit Stoop qui traversait Norfolk Street. Il le suivit jusqu'à Essex, tourna le coin de la rue et arriva juste derrière Stoop à la hauteur du marché d'Essex.

— Hé! Stoop, attends un peu!

Stoop fit volte-face :

— Oh! non! mon vieux, pas cette fois-ci! Ne viens plus m'emmerder. Je n'ai pas le temps maintenant.

Walsh attrapa Stoop par l'épaule :

— Ne me dis pas que tu n'as pas le temps, Stoop. Tu as au moins encore vingt ans à vivre devant toi. Mon petit doigt m'a dit que tu voulais me parler.

Stoop n'avait pas ralenti son allure.

— Je veux te parler de rien du tout, mon vieux, j'ai assez de mes propres problèmes à m'occuper, en ce moment.

Walsh regarda devant lui et aperçut une porte cochère, juste entre un magasin de meubles et une cafétéria. Il marcha parallèlement à Stoop, au bord du trottoir, puis, quand ils arrivèrent juste en face de la porte cochère, Walsh jeta tout son poids contre Stoop et le catapulta à l'intérieur de celle-ci. Stoop trébucha et tomba; en voulant se relever, il rencontra le genou de Walsh qui le cogna sur la tempe. Walsh se pencha, empoigna Stoop par le bras, le remit sur pied puis le projeta contre le mur où il le tint plaqué.

— Attention où tu mets les pieds, Stoop. Tu devrais être plus prudent. Tu pourrais te faire mal en tombant. Un type que j'ai connu s'est cassé un bras, comme ça. Est-ce que ça va?

Stoop s'appuya contre le mur, sonné, groggy, apeuré.

— As-tu des choses à me dire, Stoop?

— Non, mec.

— Je le croyais pourtant. Certaines choses relatives à des détonateurs, tu me suis?...

— Détonateurs! Détonateurs! ânonna Stoop.

Alors Walsh le frappa dans les reins. Stoop s'affaissa, Walsh le cravata sous le menton, lui releva la tête et le plaqua contre le mur. Il fixait Stoop, droit dans les yeux, sans rien dire. Stoop soutint son regard.

— Oui, les détonateurs, reprit Walsh. Sur ta boîte, il y avait un nom, espèce de crétin, et une série de chiffres. Crois-tu que le monde entier est aussi con que toi?

Stoop paniquait.

— Ta stupidité m'a coûté deux heures de recherches, Stoop. Mais j'ai finalement pu retrouver le magasin et parler au directeur, qui a vérifié ses registres. Ça m'a pris beaucoup de temps, Stoop, et ça a donné beaucoup de dérangement à tout le monde, tout ça à cause de ta stupide connerie. Tu comprends?

— Ouais.

— Tu ne vas pas continuer à être aussi con que ça, n'est-ce pas, Stoop?

— Non, non.

— Je suis ton ami, Stoop. J'essaie de t'aider à te sortir de là, d'éloigner la meute, de tenir M. Pitt au large, tu te souviens de ça au moins?

— Ouais, je m'en souviens.

Walsh relâcha son étreinte.

— Que fabriquent-ils dans l'appartement?

— Rien, je te dis, rien qui...

Walsh le frappa à l'estomac. Stoop se plia en deux, le souffle coupé, la bouche ouverte, asphyxié.

— Je t'écoute, Stoop.

— Je te dis que je ne sais pas ce qu'ils...

Walsh le frappa à nouveau.

— Tu ne veux pas crever ici, n'est-ce pas, Stoop, espèce de grand con! Qu'est-ce qui se passe dans cet appartement?

Walsh attendait.

— Une bombe, finit par dire Stoop. Ils fabriquent une bombe.

— Une bombe pour quoi faire?

— Je sais pas. Ils m'ont seulement demandé de leur trouver des détonateurs, c'est tout, quoi. Je ne sais pas ce qu'ils fabriquent.

Les doigts de Walsh serraient les deux joues de Stoop l'une contre l'autre, entre les mâchoires, les écrasant sur ses dents. Stoop cria de douleur. Walsh ne relâcha pas son étreinte.

— Alors, raconte!

— Je ne peux pas parler, donne-moi un peu d'air si tu veux que je parle.

— Excuse-moi, Stoop. Tu vois, parfois je perds la tête. Je ne voudrais pas t'empêcher de t'exprimer. Je suis sûr que tu as beaucoup de choses à me dire.

— Ils fabriquent une bombe atomique.

Walsh regarda durement Stoop, desserrant son étreinte. Stoop posa sa main sur le poignet de Walsh.

— C'est la vérité vraie, tu vois, je veux pas te mentir, ils sont en train de faire une bombe atomique.

— Ils t'ont dit ça?

— Ouais, bien sûr qu'ils me l'ont dit et je l'ai même vue, leur bombe. Ils ont du plutonium, quoi.

Du plutonium! Stoop était trop con pour avoir trouvé ça tout seul, donc ça ne pouvait qu'être vrai.

— Qu'est-ce que c'est du plutonium, Stoop?

— Je sais pas, moi, mais ils en ont; elle le met dans un four et elle fait une bombe. Elle incorpore de la paraffine autour du truc, quoi!

— Elle et qui d'autre?

— Cette fille et son type, un Noir.

— Qui sont-ils, Stoop?

— Je sais pas, moi; lui, il sort de l'université de je sais plus trop quoi.

— Quelle université?

— Je sais pas.

Walsh regarda Stoop. Une bombe atomique! Pourquoi lui avait-il raconté ça? Stoop ne pouvait pas mentir. Il le savait trop bête pour être capable d'imaginer ce genre de mensonges.

— Tu n'es qu'un sale menteur, Stoop. Tu me racontes, comme ça, qu'ils sont tranquillement en train de faire une bombe atomique... Tu me prends pour un connard de négro comme toi ou quoi?

Walsh resserra son étreinte et fit saigner les joues de Stoop en les écrasant contre ses dents.

— Tu te fous de ma gueule ou quoi?

Du sang coula de la bouche de Stoop. Walsh relâcha sa prise.

— Non, mec, je ne me fous pas de ta gueule.

Walsh décida alors d'utiliser le sérum de vérité, le meilleur procédé qu'il connaissait. Il lâcha Stoop et recula, fixant durement le garçon collé au mur; puis, de toute sa force, il enfonça son poing dans l'estomac de Stoop. Ce dernier se plia en deux et s'effondra. Walsh se pencha sur lui.

— Que font-ils dans cet appartement, Stoop?

Walsh s'agenouilla à côté de Stoop, attendant qu'il retrouve son souffle. Il posa sa bouche contre l'oreille du Noir et hurla :

— Qu'est-ce qu'ils sont en train de faire, Stoop?

Stoop haleta :

— Je t'ai dit la vérité vraie : une bombe atomique.

— Qui d'autre est au courant?

— Personne.

— Qui est au courant?

— Moi, toi et eux deux.

— Tu n'aurais pas raconté ça à M. Pitt, par hasard? J'espère que tu n'es pas allé te plaindre à Pitt à cause de notre dernière entrevue, quand je t'ai un peu tabassé... Tu n'as rien dit à M. Pitt, n'est-ce pas?

— Je ne suis pas fou, bordel. Pitt a un mandat d'arrêt pour complicité de hold-up contre moi, comment aurais-je pu aller me plaindre à lui...

— Peut-être que tu as fait un marché avec Pitt?

— Je ne suis pas si con, mec. Il fait semblant d'accepter le marché puis il m'épingle et je perds mes derniers atouts...

— Il vaut donc mieux me faire confiance à moi, Stoop. Parce que si tu parles de ça à qui que ce soit, je te tue, oui je te tuerai, tu crois ça ou non?

— Ouais, ouais, je crois ça.

— Que vont-ils foutre avec cette bombe?

— Faire chanter le gouvernement.

128

— Combien t'ont-ils promis?

— Beaucoup. Je n'aurais pas fait ça s'ils ne m'avaient pas promis beaucoup de fric et ma liberté conditionnelle.

— Beaucoup de fric et ta liberté conditionnelle, rien que ça, Stoop! Tu es gourmand, dis-moi.

— Non, mec, je suis pas gourmand.

— Combien de fric?

— 300 000 dollars.

— Je te laisserai en dehors du coup, Stoop. J'arrangerai ton contentieux avec Pitt. Tu auras une ardoise nette, Stoop, un casier propre. Tu comprends, tu me crois, au moins?

— Ouais, je te crois.

— Quand vont-ils agir?

— Quand ils auront fini la bombe.

— C'est-à-dire *quand?*

— Je sais pas, moi. Ils me l'ont pas dit. Je sais pas.

— O.K., Stoop! C'est un bon point en ta faveur. Sauf si tu balances l'information à quelqu'un d'autre. Si tu fais ça, tu es un homme mort. Tu me comprends? Ça m'appartient, Stoop. Et ça va te sauver la vie. Tu comprends ça?

— Ouais, je comprends, mais qu'est-ce qu'il faut que je fasse?

— Rien, ne fais rien. Quand ils auront fini, ou plutôt juste avant qu'ils aient fini, c'est-à-dire dès que tu sauras qu'ils sont sur le point de finir la bombe, tu viens me le dire. Tu traverseras la rue et tu iras jusqu'à l'épicerie cachère qui est juste en face. Là, tu me feras une marque sur la fenêtre de devant, tu piges? N'importe quelle marque, avec du rouge à lèvres, de la peinture, avec de la merde ou du sang, je m'en fous, mais tu me fais signe là-bas et je te trouverai.

— Ouais, d'accord, je ferai ça.

Stoop se redressa puis s'assit contre le mur. Il regarda Walsh :

— Tu me laisseras vraiment en dehors du coup?

— Plus que ça, Stoop. J'arrangerai ton histoire avec Pitt. Une ardoise nette, Stoop, un casier propre.

Stoop hocha la tête en se frottant les joues.

Walsh sortit de la porte cochère, marcha jusqu'à Delancey Street et prit un métro pour rentrer chez lui; un jeune curé s'assit juste en face de lui; son visage était blanc, imberbe. Walsh regarda son col blanc.

Des étudiants, une bombe atomique! Était-ce possible? Est-ce que tout cela pouvait être possible, quelle *aubaine!*...

CHAPITRE XXIV

Le chauffeur gara la limousine, une Mercedes noire 600, le long du trottoir juste en face d'un tas de sacs d'ordures voisinant avec de vieux cartons d'épicerie détrempés et un oreiller éventré d'où des morceaux de mousse sortaient.

— C'est là, dit le chauffeur en indiquant l'entrée du 181 d'un doigt méprisant.

Le grand jeune homme noir, assis à côté du chauffeur, eut un petit sourire :

— Ne sois pas si méprisant, Bill. Ces types-là n'ont pas bénéficié des avantages que nous avons eus. La civilisation progresse très lentement.

Il sortit de la Mercedes :

— Je serai de retour dans trente minutes environ.

Le grand type sortit, érafla une de ses belles chaussures noires, brillantes, contre une boîte vide de Kronenbourg et s'engouffra dans le hall sombre du 181. Il fit une grimace en respirant l'odeur de l'immeuble, cette odeur de vieilles choses pourrissantes, une odeur de jungle. Il entreprit de monter l'escalier sombre et défoncé en clignant des yeux dans l'obscurité; il trébucha sur la troisième marche — à moitié disjointe — et continua de monter avec d'infinies précautions. Il sourit en se rappelant le texte d'une circulaire du département d'État américain, destinée aux représentants des Nations Unies; il y était question des crimes et des agressions sur la voie publique et des précautions à prendre en vue de *minimiser le danger de l'attaque.* Cette même circulaire devait sûrement mentionner la nécessité d'éviter les couloirs sombres et les escaliers disjoints. Qu'allait-il bien trouver en haut de ces sinistres escaliers?

Robert French avait éveillé sa curiosité et son intérêt. Au début, le grand type n'avait pas du tout apprécié l'ordre qu'il avait reçu de rencontrer un personnage mystérieux — un Noir américain — dans les salons d'un hôtel du centre de Manhattan, car on ne pouvait jamais savoir ce que M. l'ambassadeur avait en tête. M. l'ambassadeur avait soixante-dix-sept ans; c'était le plus vieux représentant des Nations Unies; leur pays l'avait délégué à l'O.N.U. pour éviter un sanglant règlement de compte entre des tribus locales ennemies.

Dans leur pays, M. l'ambassadeur s'était montré habile, avisé et très sage; surtout, il ne détonait pas dans le contexte africain. Toutefois, il n'était pas fait pour vivre à New York, où il avait contracté la folie des grandeurs. C'est ainsi que le grand type avait dû agir avec une grande diplomatie pour empêcher M. l'ambassadeur de commander une Ford Continental couleur lavande avec l'intérieur tapissé en peau de léopard. Pour dire la vérité, M. l'ambassadeur lui en voulait beaucoup pour un tas d'autres raisons supplémentaires, estimant notamment qu'il était trop européanisé. Car le grand Noir était allé étudier en Angleterre, il savait parler, s'habiller et charmer. Or, M. l'ambassadeur détestait les gens instruits et charmants, lui qui, dans leur pays, avait tué des hommes de ses mains et bu leur sang, à ce qu'on disait...

Le grand type était maintenant parvenu au premier étage; il entreprit, avec les mêmes précautions, de monter l'escalier menant au second étage. A un moment, il songea à se mettre un mouchoir sur la bouche à cause des odeurs puis décida de ne pas le faire : si ces types-là pouvaient supporter ces odeurs, lui aussi le pouvait.

Son père avait été un des gardes du corps de Patrice Lumumba. On ne parlait plus aujourd'hui de cela qu'à voix basse, mais cette ancienne fonction de son père lui avait conféré un statut social envié, jadis, quand il était plus jeune, et c'est grâce à cela qu'il avait pu prendre un bon départ dans son pays et faire son chemin. Il était intelligent et discipliné, oui, discipliné au point d'aller rendre visite par devoir à un type apparemment fou, qui avait appelé l'ambassade au sujet d'un projet révolutionnaire apparemment sérieux. Mais il avait aimé French dès qu'il l'avait vu; ce dernier était plus jeune qu'il ne s'y attendait, beaucoup mieux habillé aussi et terriblement sérieux. Il savait tout sur leur pays — le nombre d'habitants, le revenu annuel par personne, ses structures politiques, sa politique étrangère indépendante (dont certains pensaient qu'elle était stupide), les inondations et la famine, la malnutrition, les maladies, etc. French lui avait parlé de tout; on lisait dans ses yeux qu'il était profondément convaincu de ce qu'il disait et pensait. French lui avait surtout dit qu'à l'heure actuelle il était possible pour n'importe quel État de fabriquer une bombe atomique... Bon!... Pourquoi pas!...

French lui avait fait lire certains passages soulignés de deux livres : « Cela vous prouvera que l'on peut faire des bombes atomiques. A vous de savoir les utiliser au mieux dans l'intérêt politique de votre pays. Votre pays est le pays idéal. — Ah! vraiment? » avait répondu le grand type en essayant de ne pas s'étrangler de rire. Plus tard, il avait pris des renseignements sur French : étudiant à Princeton, inscrit en quatrième année de sciences politiques, son père était juge et ses deux livres prouvaient qu'il ne mentait pas. Bien sûr, on ne pouvait pas suggérer à M. l'ambassadeur d'embaucher French et de le nommer directeur d'une manufacture de bombes atomiques — le vieux guerrier était assez fou et mégalomane pour accepter... —, mais on ne pouvait pas non plus purement et simplement lui fermer la porte au nez.

French était un cas intéressant. Tellement sérieux; un garçon de valeur, sans doute. « Vous comprenez, avait dit French, cela provoquerait une totale redistribution des richesses, fait sans précédent dans l'histoire. Votre pays peut être le premier, servir de base de lancement pour cela. » Le grand type n'avait pas su quoi dire : devait-il mourir de rire ou appeler la police?

CHAPITRE XXV

J'ai dit à Bobby, pour rire :

— Veux-tu poser toi-même le premier pain de plastic ? Après tout, c'est toi le « cerveau de l'opération »...

Il resta prudemment derrière moi à quelque distance de la table et secoua négativement la tête. Il était torse nu, ses deux mains enfoncées dans les poches de son jeans. Il voulait paraître calme; en réalité, il avait peur, oui, quasiment aussi peur que Stoop, qui était assis, là-bas, sur son lit, à l'autre bout de l'appartement, et qui fumait sans rien dire. Je plongeai prudemment ma main à l'intérieur de la caisse et j'en sortis un pain de plastic C/4 enveloppé dans du papier métallisé étanche, comme celui qu'on met dans les paquets de cigarettes. Sur un coin du papier, il y avait écrit en grosses lettres orange : « Industries chimiques Allison et Cⁱᵉ. Explosif C/4 ». Ce pain de plastic qui pesait environ 250 grammes n'était guère plus long ni plus épais qu'un paquet de beurre de 1 livre. Je défis le papier. Le plastic avait une couleur terne, blanchâtre, avec un léger reflet verdâtre. Au toucher, on aurait dit du mastic sec.

J'ai posé le pain contre l'aluminium brillant des deux bols soudés ensemble par la paraffine et le plutonium qui se trouvaient à l'intérieur, et je l'ai malaxé doucement, très doucement, le modelant pour qu'il devienne aussi lisse que de l'argile.

— Éteignez vos cigarettes, bon dieu !

J'avais crié cela pour rire, rien que pour le plaisir de voir Stoop paniquer et écraser son mégot de cigarette en quatrième vitesse.

— Je plaisantais, Stoop, rallumes-en une, aucun danger.

134

— Ne plaisante pas, Aizy, me dit Bobby, sérieux comme un pape. Occupe-toi du plastic et de rien d'autre, et fais-nous du bon travail.

Je déballai l'autre pain de plastic et le pressai contre la paroi de la bombe.

— Vous paniquez pour un rien, vous, les mecs. Ce truc-là est très stable. Il faudrait un énorme choc pour le faire exploser : qu'il tombe de la table, par exemple...

Les yeux de Bobby étaient littéralement hypnotisés par la vue de mes deux pains d'explosif :

— Écoutez, si vous avez la trouille, si vous pensez que je ne sais pas ce que je fais, ne restez pas dans mes jambes. Allez donc prendre l'air, abandonnez la zone dangereuse! Je crois que Brooklyn est assez loin d'ici pour que vous n'ayiez plus rien à craindre...

Stoop ne se le fit pas dire deux fois :

— Je vais faire un tour à Brooklyn, dit-il en se levant d'un air faussement décontracté.

— Halte là, dit Bobby, personne ne va nulle part. Nous savons que tu fais du bon boulot, Aizy. C'est pas la peine de jouer au con pour nous en convaincre.

Posé à côté de la bombe, le compteur Geiger faisait entendre un grésillement tranquille et régulier.

— Viens par ici avec nous, Stoop, ai-je dit. Je veux te montrer ce qui va se passer maintenant.

Stoop ne bougea pas.

— Approche-toi, Stoop, dit Bobby. De toute façon, s'il y a un accident, tu sauteras aussi bien ici que là-bas.

Stoop s'approcha de nous — pas du tout rassuré — et regarda la bombe ainsi que les deux pains d'explosif; j'en sortis un troisième de la caisse. C'est à ce moment-là que j'ai donné à ce cher Stoop un petit cours de physique nucléaire élémentaire :

— Maintenant, regarde bien, Stoop, et tâche de comprendre. Tout le dispositif grouille d'émissions infinitésimales de neutrons, comme tu le sais. Quand le plastic explosera, la détonation comprimera cette boule de plutonium au point de la réduire à la taille d'un petit citron. La surface du plutonium sera tellement comprimée que les émissions de neutrons n'auront plus de place pour rayonner. Et alors là, lorsque les neutrons commenceront à zigzaguer en masse autour du plutonium, et qu'ils commenceront à irradier en surface, alors, à ce moment-là, ça pètera, ça fera un *bang* du tonnerre, pigé!

— Fais pas ta pédante avec moi, dit Stoop, ou je te fais bouffer ta merde au citron de neutrons, comme tu dis!

Il allait me frapper, Bobby arrêta son poing juste à temps, sinon nous faisions « bang » tous les trois...

— Relaxe, Stoop! dit Bobby. Elle plaisante, cette connasse.

Stoop retourna s'asseoir sur le lit, rouge de colère.

— Qu'est-ce qui t'a pris d'énerver Stoop? me dit Bobby.

— Rien, je pensais seulement qu'il aurait aimé comprendre un peu ce petit truc pas du tout compliqué qui pourrait bien lui faire sauter le cul en cinq sec.

— Stoop en sait bien assez comme ça, Aizy. Fais ton boulot, exécution et écrase-toi!

Comme vous le voyez, Bobby prenait avec moi le ton d'un général s'adressant à l'un de ses inférieurs...

Je continuai à pétrir mes trois pains de plastic jusqu'à ce qu'ils deviennent bien lisses :

— On ne devrait pas autant paniquer à cause de la bombe atomique, ai-je dit. Au fond, nous faisons des névroses pour des choses qui n'en valent pas la peine, tu sais ça? L'humanité est toujours en retard de deux générations sur les choses réellement inquiétantes. Les gens se sont inquiétés de l'invention des javelots quand ils auraient dû s'inquiéter de la poudre à canon; puis ils se sont inquiétés de la poudre à canon quand ils auraient dû s'inquiéter de l'invention de la bombe atomique. De nos jours, ils se paniquent à cause de la bombe atomique quand ils devraient paniquer pour d'autres choses pires encore...

Je mesurai l'épaisseur de ma couche de plastic, je l'étalai, et Bobby et Stoop étaient là, me regardant en silence, attendant, je suppose, que tout nous pète à la figure.

— Est-ce que personne ne va me demander de quelles autres choses — pires encore que l'atome — je voulais vous parler?...

Silence...

136

— Bon. Je vais quand même vous le dire : les « trous noirs » sont des choses encore pires que la bombe A.

J'en étais à étaler ma troisième couche de plastic quand le tic-tac du compteur s'accéléra : ce n'était pas une accélération « exponentielle » qui, aurait annoncé de graves ennuis, mais simplement une accélération *sympathique*, amicale et douce, due au fait que le plastic renvoyait de plus en plus de neutrons à l'intérieur du noyau.

J'ai repris :

— Une étoile pulvérisée, voilà ce qu'est un « trou noir ». Une étoile de ce type est si compacte, si dense, sa gravité est si forte qu'elle aspire immédiatement tout directement dans son noyau. C'est une étoile pesant 1 600 tonnes tout en n'étant pas plus grosse qu'un petit pois, exactement, et on appelle « trou noir » ce genre d'étoile, parfaitement. Et si vous laissez ce genre d'étoile tomber sur la terre, elle s'enfoncera directement jusqu'au centre de celle-ci et ensuite elle aspirera toute la terre dans la spirale de son noyau. En moins d'une demi-seconde, tout craquera, tout sera immédiatement englouti — la terre, l'humanité — jusqu'au centre de ce « trou noir » qui n'est pas plus gros qu'un petit pois. Qu'est-ce que vous dites de cela? Et puis, après, ce « trou noir » commencera à engloutir les autres planètes, puis le soleil et les autres systèmes solaires, puis toutes les galaxies et l'univers tout entier, voilà ce que sont les « trous noirs »...

J'enfonçai la pointe d'un cintre en fer à travers la couche de plastic pour en mesurer l'épaisseur : il n'y avait que 13 centimètres de couche. Je remis donc ce qu'il fallait de plastic pour obtenir la quantité mathématiquement nécessaire. J'ai poursuivi ma petite « Apocalypse » :

— Les « trous noirs » existent déjà, ils ont déjà été découverts; ils sont déjà à l'œuvre en vue d'engloutir l'univers. Mais ils sont encore loin. Ils n'arriveront pas sur la terre avant quelques siècles. Seulement, théoriquement — et ça c'est intéressant, m'écoutez-vous? —, donc, théoriquement, il est possible de fabriquer un « trou noir » en laboratoire, sur la terre. C'est à peine croyable, mais c'est « théoriquement possible », comme disent les savants. Peut-être même que, en ce moment où je vous parle, tel ou tel État fait travailler ses savants sur la fabrication d'un « trou noir », eh oui, on n'arrête pas le progrès, et...

Et merde!... c'est juste à ce moment-là que le compteur Geiger s'est mis à tictaquer comme un fou. J'ai immédiatement retiré cette « ceinture » de plastic que je venais de poser autour de la bombe; aussitôt, le compteur a ralenti, reprenant une cadence normale, quelque dix secondes après. Puis, quand j'ai replacé la ceinture de plastic autour de la bombe, les tic-tac du compteur se sont de nouveau accélérés, dix secondes après. Les neutrons, dans ce cas, sont libérés en deux décharges successives de dix ou quinze secondes. La première décharge, celle qui est immédiate, n'avait pas été suffisamment forte pour atteindre le point critique et accélérer le grésillement du compteur; mais la seconde, qui s'était produite quelques secondes plus tard, l'avait été. Et ce fut une chance que j'aie retiré la ceinture de plastic à temps, car si la première vague de neutrons avait rendu le plutonium critique, ceux de la seconde vague l'auraient fait exploser.

Quand j'avançais le plastic vers la bombe, le grésillement du compteur s'accélérait. Au contraire, quand j'éloignais le plastic de la bombe, les tic-tac du compteur redevenaient normaux. Je fis et refis cela plusieurs fois de suite, avançant la ceinture de plastic vers la bombe puis l'éloignant de celle-ci : chaque fois, le compteur réagissait, soit en accélérant (quand j'approchais la ceinture de plastic de la bombe), soit en ralentissant ses bruits. Il n'y avait plus aucun doute : nous venions d'atteindre un facteur d'unité démultiplié; nous avions atteint le point *critique;* nous avions une réaction nucléaire en chaîne qui se maintenait; pas encore explosive, bien sûr, mais qui durait : plus près, plus vite; plus loin, plus lentement. Je faisais exactement ce qu'Enrico Fermi avait fait avec le premier réacteur atomique du monde sur un terrain de *squash* à l'université de Chicago, en 1942. Sauf qu'il avait des plaques de cadmium et des compteurs, ce qui était une méthode beaucoup plus sûre. Mais il avait fait comme moi, la même chose, utilisant les plaques de cadmium pour augmenter ou diminuer la densité des neutrons selon qu'il les approchait ou les éloignait du réacteur qu'il « promenait » ainsi autour du point critique.

Je continuai d'approcher puis d'éloigner ma ceinture de plastic de la bombe. J'ai dû faire ça une vingtaine de fois en écoutant le grésillement du compteur augmenter ou diminuer d'intensité : critique; non critique; critique, non critique. Comme avait fait Fermi. Là, sur la table, il y avait une boule de 60 centimètres de large, contenant du plutonium, de la cire et du plastic, et, dans la paume de ma main, la ceinture de plastic, l'élément décisif qui la rendait *critique* : la puissance du soleil dans la paume de ma main! Ce fut une expérience qui me procura la plus grande émotion de ma vie.

CHAPITRE XXVI

Assis — pas fier de lui — sur le tabouret de la cuisine, Bobby regardait Aizy qui était en train de poser la ceinture de plastic autour de la bombe, se demandant avec inquiétude comment il allait s'y prendre pour leur avouer la vérité. La fabrication de la bombe était presque achevée. Stoop et Aizy allaient lui tomber dessus ce soir, lui demander des comptes, ils voudraient une réponse et il serait obligé de leur dire : « Non, Aizy, je n'ai pas voulu faire la bombe pour qu'elle soit testée dans le désert du Nevada ; non, Stoop, je n'ai pas voulu faire la bombe pour de l'argent. J'ai voulu fabriquer la bombe pour faire chanter le gouvernement des États-Unis et obtenir, en contrepartie, que des millions d'hommes puissent manger à leur faim en Afrique et dans tout le tiers monde. »

Comment pourrait-il leur dire cela? Il avait indirectement dévoilé ses intentions à Aizy quand il lui avait parlé de sa sœur. « Tu as trouvé, toi aussi », lui avait dit Aizy. C'est donc qu'elle avait deviné quelque chose. Mais comment allait-elle réagir quand il lui avouerait toute la vérité de A à Z? Et que dirait Stoop, surtout? Hier, Stoop avait commencé à leur parler de ses futures vacances aux Bahamas. Qui avait bien pu lui fourrer cette idée de vacances aux Bahamas dans la tête? Stoop pensait que les Bahamas étaient un paradis ensoleillé, tranquille et sûr où il pourrait aller se mettre au vert nanti de sa liberté sous caution et de ce « pactole » imaginaire de 300 000 dollars que lui procurerait la vente tout aussi imaginaire de la bombe au gouvernement... Aizy avait dit :

— Tu devrais venir avec nous dans le désert du Nevada, Stoop, là où ils vont tester notre bombe. Ils descendent la bombe dans un souterrain profond, profond, à 1,500 km sous terre et au fond, tout au fond, ils la font exploser.

Aizy savait comment faire peur à Stoop, qui ne l'avait jamais comprise. Il la croyait folle et Stoop avait peur des fous. Pour Stoop, coucher avec Aizy ç'aurait été comme si on lui avait demandé de coucher avec une *sorcière*...

Ils avaient commencé à tarabuster Bobby pour qu'il leur révèle la suite des opérations :

— Quand est-ce qu'on fait le coup, mec? questionna Stoop.

— Ouais, mec, reprit Aizy en imitant Stoop juste ce qu'il fallait pour qu'il ne s'aperçoive pas qu'elle se moquait de son accent et de sa façon de parler, ouais, quand est-ce qu'on fait le coup, mec? (Elle avait déjà une petite idée.)

Bobby les regardait tous deux, inquiet, mal à l'aise. Aizy était là, devant lui, ses mains malaxant les pains de plastic comme le ferait, dans son pétrin, un boulanger avec de la pâte. Savait-elle vraiment ce qu'elle était en train de faire? Il voyait déjà le titre à la une des journaux : « Explosion d'une bombe dans une manufacture clandestine. Trois terroristes tués. »

Comment allait-il les convaincre de donner la bombe à M'Bala? Tout ce que Stoop voulait, c'était obtenir sa liberté sous caution et 300 000 dollars. Tout ce qu'Aizy voulait, c'était prouver au gouvernement que *sa* bombe fonctionnait.

Le tic-tac du compteur s'amplifia et Bobby perçut sur le visage d'Aizy quelques signes d'évidente excitation. Elle était en transe. Quand elle éloignait sa main de la bombe, le compteur redevenait normal; mais, quand elle rapprochait sa main, le compteur s'emballait. Elle n'arrêtait pas de taquiner cette maudite bombe.

— Poupée, lui dit Stoop, si tu n'arrêtes pas d'exciter cette petite chose-là, elle va te péter entre les mains.

— Elle est au point critique, dit Aizy, en reposant la ceinture de plastic dans la caisse. Qu'est-ce que vous dites de mon exploit, pas mal, hein?

Aucun des deux ne répondit.

— Que se passe-t-il ensuite? demanda Bobby.

— On va la laisser tranquille un petit peu, dit Aizy, et

puis nous lui poserons ses détonateurs. Stoop, où sont les détonateurs? Apporte-les par ici.

Stoop transporta la caisse de bois et la déposa sur le plancher de la cuisine; elle était plus petite que celle qui avait contenu les charges de plastic, plus légère aussi. Aizy enleva le couvercle. Les détonateurs reposaient sur des lits de mousse en polyester blanc; chacun d'eux n'était pas plus long que le petit doigt ni plus gros qu'un crayon; ils étaient recouverts d'un métal peint vert olive; des conducteurs en fil métallique noir de 15 centimètres de long sortaient par un bout; l'autre bout était plat. Elle toucha la bombe légèrement avec son doigt, tâtant le plastic mou. Tout en faisant cela, elle dit :

— Tu as l'air très nerveux, Bobby.

— Je suis très bien.

— J'ai comme l'impression que tu voudrais nous dire quelque chose.

Bobby ne répondit pas.

— Vas-y, Bobby, dis-le-nous. Tu ferais aussi bien de nous dire la vérité. On ne te tuera pas...

Toujours assis sur le tabouret de la cuisine, Bobby regarda longuement Stoop, puis il se retourna vers Aizy, la fixant droit dans les yeux.

— Tu te souviens que je t'ai dit que je suis allé en Afrique voir ma sœur et qu'elle m'a fait découvrir des choses épouvantables?

— Je m'en souviens, Bobby.

— J'ai traversé le Niger. Il était à sec.

— Très intéressant.

— Nous sommes allés dans un camp de réfugiés. Sais-tu combien d'hommes, de femmes et d'enfants mourant de faim se trouvaient dans ce seul camp?

— Combien?

— Quatre millions.

Personne ne dit rien.

— Ce n'est pas loin d'ici, Aizy. C'est même très près. Avec le *Concorde*, on pourrait y être ce soir pour l'heure du dîner.

Aizy enfonçait toujours son doigt dans le plastic posé autour de la bombe.

— Tout le monde se fout de ça, n'est-ce pas, Aizy. On

142

pense que ça se passe sur une autre planète ou quelque chose comme ça. On s'en fout. La *World Bank* a dit que les Arabes auront un trillion de dollars vers 1985. Ils vont multiplier par quatre le prix du pétrole, ce qui multipliera par trois le prix des engrais puisqu'ils sont faits à partir du pétrole. Les Soviétiques ont eu une mauvaise récolte de blé, mais au lieu d'abattre leur bétail qui mange le blé et de faire du pain, ils ont importé 28 millions de tonnes de céréales, ce qui suffirait à nourrir soixante-dix-mille Africains par an. Mais qui se soucie de cela? Que vaut la vie d'un Africain, de toute façon? Le prix à payer pour sauver l'Afrique est de 10 milliards de dollars pendant vingt-cinq ans. Mais tout le monde pense que ça n'en vaut pas la peine, sauf les Africains. En bien, moi, *je suis* un Africain et je...

Sa voix se brisa. Aizy ne l'avait jamais vu dans cet état, manquant de maîtrise à ce point et abandonnant pour une fois ses airs distants et hautains de bourgeois noir. Elle aurait voulu pouvoir l'aider. Elle avait peur pour lui.

— Personne ne fait même plus attention à ces photos d'enfants au ventre ballonné, ni au bétail enterré vif dans des fosses communes pour maintenir le prix de la viande à un tarif élevé. Au Bangladesh, les balayeurs des rues ramassent, chaque matin, des cadavres dans les caniveaux. D'ici cinquante ans, un million d'enfants mourront de faim chaque mois. Des enfants noirs en part...

Il s'interrompit, les yeux humides.

Deux minutes plus tard, Aizy prit un couteau et le tint au-dessus de la bombe, là où elle prévoyait de faire des trous dans le plastic pour poser ses détonateurs.

— Je ne pense pas que ce soit la faute des États-Unis, dit-elle.

— Non, répliqua vivement Bobby, les États-Unis exportent déjà presque la moitié de leurs récoltes de céréales. L'Amérique du Nord n'est pas le grand coupable ou le plus grand coupable, ni même le seul coupable. Mais regarde les autres, les Arabes. D'ici quelques années, leur richesse...

Aizy effleura doucement le plastic encore mou avec la

pointe de son couteau. Elle traça une ligne verticale depuis le haut de la bombe jusqu'au bas, puis elle en traça une seconde, puis encore une autre, jusqu'à ce que la matelassure de plastic fût divisée en dix sections égales.

— D'ici quelques années, leur richesse équivaudra à cent fois la valeur de tout l'or possédé par le gouvernement des États-Unis. Les Arabes représentent donc une bien meilleure cible que les États-Unis, car les États-Unis ne sont pas la première cible à viser...

Aizy hocha la tête, elle était maintenant certaine d'avoir deviné les raisons du discours de Bobby.

— Une « cible »? répéta-t-elle. Elle traçait maintenant des cercles tout autour de la bombe, dix lignes horizontales également espacées entre elles.

Bobby se leva du tabouret, marcha vers son lit, y prit quelque chose et revint dans la cuisine avec un petit livre à couverture rouge et bleu. Il s'assit sur le tabouret, avec le livre ouvert dans ses mains.

— Laisse-moi te lire quelques lignes de ce livre. L'auteur, l'économiste Robert Heilbroner, affirme que les pays sous-développés seront bientôt capables non seulement de fabriquer des bombes atomiques artisanales, mais aussi de menacer de les utiliser, éventuellement *comme moyen de chantage pour obliger les pays industrialisés à entreprendre un transfert massif des richesses vers les pays les plus pauvres du monde.* Il dit encore, écoute ça : ... *Le terrorisme nucléaire est peut-être le seul moyen par lequel les nations pauvres peuvent espérer changer leur condition.*

Bobby leva les yeux vers Aizy; elle continuait à tracer ses lignes et ses cercles sur le plastic.

— Il est *évident* que c'est le seul moyen, reprit Bobby, car on ne peut pas espérer que les Arabes donnent 10 milliards de dollars volontairement, de même qu'on ne peut pas espérer que les Français, les Américains, les Anglais, les Allemands et les Soviétiques acceptent de se rationner et d'abandonner un dixième de leur produit national brut à moins d'y être forcés. Et, pour la première fois dans l'histoire, pour la première fois vraiment, il y a une arme simple et facile à fabriquer qui peut les y contraindre, une arme disponible même pour la plus sous-développée des nations.

144

— Disponible si on la rend disponible, ajouta Aizy.

Avec un bout de ficelle, elle se mit à mesurer les distances diagonales entre les points d'intersection des lignes de latitude et des lignes de longitude.

La bombe ressemblait maintenant à un globe terrestre. Bobby regarda Aizy et continua de parler; puis il s'interrompit un instant et murmura : « Oui. »

Aizy plia la ficelle et la mit dans sa poche.

— Nous la ferons tester, reprit Bobby fanatiquement. Nous la leur donnerons et nous exigerons qu'ils la testent. Ce que nous allons faire, c'est nous servir de cette bombe comme d'un prototype pour leur prouver que nous pouvons faire des bombes. Nous allons trouver un pays sous-développé qui nous donnera asile et un lieu pour travailler, oui... En contrepartie de cette bombe, nous exigerons des États-Unis un sauf-conduit pour le pays en question et autant de plutonium que nous en avons utilisé pour la fabrication de cette bombe. Alors nous pourrons en fabriquer une autre dans ce pays d'asile et les gens de ce pays pourront alors menacer de la faire exploser pour exiger de la nourriture.

Aizy plongea sa main dans la caisse de bois et sortit un premier détonateur de son moule de polyester.

— Qu'est-ce qui te fait croire qu'ils vont accepter de nous donner 7 kilos de plutonium? Quelle garantie leur donneras-tu, qui les assurera que nous ne retournerons pas contre eux la menace nucléaire?

— Les États-Unis ne sont pas un pays cible, Aizy. Les surplus de blé les plus importants ne sont pas seulement aux États-Unis; ils sont aussi au Canada, en Australie, en Nouvelle-Zélande et en Argentine. Nous dirons aux États-Unis que nous menacerons d'autres pays. Que peuvent faire alors les États-Unis? Ils préféreront prendre le risque de voir sauter une ville non américaine plutôt que celui de faire sauter New York.

Tout en trouvant la pensée de Bobby de plus en plus embrouillée, Aizy posa le bout plat du détonateur à l'endroit où deux lignes se croisaient et l'enfonça profondément dans le plastic.

— Nous avons assez du plutonium des États-Unis pour fabriquer une autre bombe. Tu ne pourras quand même pas faire chanter tous les autres pays avec une seule bombe...

— Exact. C'est pourquoi nous ne viserons que les États non nucléaires, les pays qui disposent de surplus de blé, comme l'Australie, et aussi les pays riches en pétrole, comme l'Arabie saoudite. Nous laisserons de côté les États-Unis, la France, le Royaume-Uni, l'U.R.S.S. ainsi que les autres nations nucléaires; en échange de notre garantie de ne pas utiliser l'arme atomique contre eux, ces États nucléaires nous donneront du plutonium. Si le Royaume-Uni ne veut pas nous donner quelques kilos de plutonium, nous menacerons de faire sauter Londres... Et nous ne leur causerons pas d'embarras, nous ne dirons pas quels pays nous ont fournis en plutonium...

— C'est du racket, dit Aizy.

— Que veux-tu dire? demanda Bobby.

— Je dis que c'est du racket nucléaire international.

— Un racket qui profitera à un demi-milliard d'hommes qui meurent de faim, dit Bobby.

Aizy prit un second détonateur, le plaça à l'intersection de deux lignes et l'enfonça dans le plastic.

— Qu'est-ce qui te fait penser qu'un pays va marcher dans ta combine? C'est un plan qui a l'air impossible.

— Robert Heilbroner, l'économiste dont je viens de te lire des extraits, ne pense pas, lui, que ce soit impossible, de même que beaucoup d'autres experts d'ailleurs, tels que Mason Willrich ou Ted Taylor, j'ai des livres d'eux que tu peux lire. Ils ne pensent pas du tout que ce soit impossible. Ils pensent que c'est inévitable.

— As-tu choisi un pays d'asile? demanda Aizy.

— J'ai beaucoup cherché, dit Bobby, et j'ai parlé à des tas de gens. Le Tchad était une possibilité, le Mali également ainsi que la Tanzanie. J'ai rencontré des membres de groupes révolutionnaires de l'Équateur, du Honduras, du Japon, ainsi que des Palestiniens. Mais tous ne sont que des guérilleros. Ils voulaient bien de la bombe mais ne pouvaient pas nous garantir l'asile. Finalement, j'ai parlé au représentant d'un pays africain; il va marcher, j'en suis sûr. Il est très intéressé. Il marchera.

— Tu as parlé à beaucoup de gens, dit Aizy en reculant et en scrutant la bombe. Bon, ça y est, les gars!

Le dessus de la bombe était maintenant hérissé d'une couronne de détonateurs vert olive, de 2 centimètres de haut, chacun relié à des conducteurs métalliques branchés sur une pile.

— Regardez-moi ça, continua Aizy, quand tous ces trucs exploseront, nous obtiendrons une assez jolie réaction qui réduira le noyau à la taille d'un citron.

Elle prit un morceau de fil électrique orange.

— Nous connecterons les détonateurs en parallèle, et alors...

Elle s'interrompit pour relier le fil aux conducteurs.

— Hé, doucement, vous deux! hurla Stoop sur le lit.

Bobby s'attendait à une réaction de sa part...

— Tu peux allumer maintenant, Stoop, dit Aizy en continuant de relier les fils.

— Qu'est-ce que c'est que tout ce baratin sur l'Équateur? hurlait Stoop. N'allez pas vous mettre dans l'idée que vous allez baiser Stoop, parce que moi, je vous...

— Nous n'avons aucune idée, Stoop, dit Aisy.

— Trop tard, Stoop, lança Bobby.

— Trop tard! Ne me dis pas à moi que c'est trop tard, bon dieu! Qu'est-ce que vous magouillez? Je veux connaître vos plans. J'ai un intérêt dans l'affaire, moi. Je veux savoir à quoi vous jouez...

— Tu auras ta liberté sous caution et aussi ton argent, Stoop, dit Bobby. Ne te bile pas pour ça.

— C'est bien mon intention. Mais quand je les aurai? Quand, dis?

— Quand nous aurons parlé à certaines personnes.

— Parlé à quelles personnes? Mec, ne me raconte pas des salades!

Stoop se leva du lit et alla se planter devant Bobby.

— Quand est-ce qu'on va appeler les flics, vieux, et en finir avec ça?

Dans sa main gauche, Aizy tenait deux fils de cuivre. Elle alla prendre quelque chose sous la table.

— Notre bombe est finie, dit Stoop en toisant Bobby. Quand faisons-nous le coup? J'ai rendez-vous aux Bahamas, moi. Je ne veux pas m'éterniser dans le coin.

Aizy sortit une pile de la taille d'un paquet de cigarettes. Elle la posa sur la table, à côté de la bombe. Elle attacha le premier fil de cuivre à une des extrémités de la pile; puis elle prit la pile dans une main et le deuxième fil dans l'autre. Tandis qu'elle approchait doucement le fil de l'autre extrémité de la pile, elle leva les yeux et regarda Stoop fixement.

— Stoop, dit-elle.

— Ouais.

— Ferme ta gueule!

Et, comme par miracle, le grand Stoop ferma sa gueule : la bombe n'avait pas encore cinq minutes d'existence, mais Aizy venait de réussir sa première menace nucléaire en faisant taire Stoop.

CHAPITRE XXVII

M'Bala me plut. Il ne rabaissait jamais personne, pas même Stoop. Il ressemblait à un bâton de zan et il était maigre ; son visage était noir, noire sa cravate, noir son costume et noires ses chaussures. Mais il portait une chemise blanche, à col dur amidonné. Rien qu'à le voir, on devinait tout de suite que c'était un Noir d'Afrique et non un Noir américain. Bobby fit les présentations. Il s'inclina, me serra la main, sourit et s'inclina même devant le lit où se trouvait Stoop, qui ne s'était pas levé, en lui demandant comment il allait. Il ne cessait pas de sourire. Si quelqu'un disait quelque chose supposé être drôle — même si ce ne l'était pas —, son sourire devenait encore plus grand, plus jovial, et, si l'un de nous disait quelque chose de sérieux — ou censé l'être —, son sourire devenait alors plus petit, plus sérieux. Mais son sourire ne quittait jamais son visage. C'est son sourire qui me fit croire que M'Bala était de notre côté.

Il vint le jour après que j'eus fini la bombe. Elle était posée sur la table de la cuisine. Bobby l'avait recouverte d'un drap, comme un linceul. Il était très tendu à l'idée de notre entrevue avec M'Bala. Bobby était devenu quelqu'un, maintenant, un grand businessman international. Et ce grand type des Nations Unies qui venait le voir, et tout et tout ! Bobby essaya de convaincre Stoop d'aller faire un tour dehors, sous prétexte qu'il n'était pas nécessaire qu'il « dévoile son identité » à un étranger. Stoop lui répondit d'aller se faire foutre. Je pense que Bobby aurait préféré que je ne sois pas là non plus, mais il fallait bien qu'il présente à M'Bala l' « auteur » de la bombe.

— Ne lui en dis pas trop, me prévint-il. Nous devons

seulement le convaincre, c'est tout. N'en dis pas trop, vu?

— O.K.! chef, dis-je. Il me regarda méchamment.

Bobby s'était mis sur son trente et un. Il portait un costume kaki, une cravate et il me détestait en ce moment parce que j'étais en jeans. Je ne croyais pas tellement à cette entrevue, non, je n'y croyais pas trop. Je croyais à tous ces gens qui mourraient de faim, bien sûr, en étant bien convaincue que rien ne pourrait régler le problème de la famine du tiers monde sinon la menace nucléaire. Mais je ne croyais pas que ce Bobby French et ce type des Nations Unies, venu d'un pays si petit que je n'en avais jamais entendu parler, pourraient arriver à résoudre le problème. Ce n'était pas possible. Mais Bobby, lui, il y croyait; ah oui! il y croyait! Ses convictions me faisaient froid dans le dos rien qu'à y penser. Mais en pensant à son *peuple* qui mourrait de faim en Afrique, je me disais : « Ce M'Bala ou un autre, pourquoi pas, après tout?... »

De toute façon, j'en étais certaine, notre bombe finirait dans un grand trou creusé dans le désert du Nevada. Il n'y avait aucun doute à se faire là-dessus.

Donc, ce bâton de zan d'une trentaine d'années nous fut présenté par Bobby et je lui demandai s'il voulait boire quelque chose.

— Oui, c'est vrai, dit Bobby en faisant le beau, oui, bien sûr, excusez-moi, vous prendrez bien un verre? Que désirez-vous boire? Nous avons...

Tout ce que nous avions, c'était de la bière. Bobby était plutôt gêné :

— Nous avons de la bière et...

Il se tourna vers moi, m'appelant des yeux à son secours.

— Nous avons de la bière, repris-je, et... de la bière. Mais nous pouvons vous la servir tiède ou glacée.

— Glacée, s'il vous plaît, dit M'Bala en s'inclinant devant moi (on aurait dit le sommet d'un grand conifère africain qui se penchait vers vous).

Nous étions tous assis, buvant de la bière tiède ou glacée, M'Bala et moi sur le sofa, Bobby sur le tabouret et Stoop boudant sur son lit.

— Est-ce cela? demanda M'Bala en désignant le drap recouvrant la bombe.

— En partie, dit Bobby.

M'Bala hocha mollement la tête et je pensai qu'il n'en croyait pas un mot.

— Avez-vous parlé à M. l'ambassadeur? demanda Bobby.

— Oui. Je crains qu'il ne partage quelques-uns de mes doutes. Il m'a posé beaucoup de questions là-dessus. Il est difficile de lui donner un avis sans avoir quelques garanties, sans savoir... Actuellement, cher monsieur French, je n'ai encore rien vu. Je vous fais confiance, et je suis sûr que vous êtes tous très savants et que nous pouvons vous croire sur parole, mais vous prétendez pouvoir faire quelque chose de vraiment extraordinaire. Si mon pays ne se trouvait pas dans une situation aussi désespérée, M. l'ambassadeur n'aurait même pas...

— Si ce que j'ai dit est vrai, si nous pouvons construire une bombe atomique, est-ce que votre pays accepterait notre proposition?

— Vous m'avez déjà posé cette question, cher monsieur French. Si la réponse était négative, je ne serais pas ici. Mais il ne m'est pas possible d'essayer de convaincre M. l'ambassadeur de votre bonne foi si je ne peux lui donner des preuves. Je dois pouvoir lui dire : « J'ai vu ceci et cela, ces jeunes gens m'ont convaincu. » Je suis sûr que vous comprenez mon point de vue, monsieur French...

Bobby se leva du tabouret, alla vers le placard et en sortit un des tubes qui contenaient le plutonium; il le traîna jusqu'au pied du sofa.

— Regardez cela, vérifiez : c'est un tube qui a réelle-ment contenu du vrai nitrate de plutonium.

— Comment vous l'êtes-vous procuré?

— Je ne peux pas vous le dire. Mais ce tube est une preuve de notre bonne foi, non?...

M'Bala examina le tube.

— Aizy, dit Bobby, explique-lui.

— Lui expliquer quoi?

— Comment nous avons fait pour fabriquer la bombe.

— Pourquoi ne lui montrerions-nous pas plutôt...

— Explique-lui d'abord, Aizy.

Alors j'ai parlé de la bombe à ce M. M'Bala ; j'ai fait un peu de théorie, lui expliquant comment j'avais transformé le nitrate en métal, lui parlant du réflecteur de paraffine et de la ceinture de plastic, en agrémentant ma petite leçon de sciences naturelles d'une multitude de détails techniques dont je savais qu'il ne les comprendrait pas. Je lui ai dit en gros comment j'étais parvenue à fabriquer la bombe, la vérité, quoi !

Bobby se tenait debout près de la bombe et, quand j'eus fini de parler, il ôta le drap. Les sourcils de M'Bala s'élargirent largement au-dessus de ses yeux.

La bombe était là, reposant sur un socle rond que j'avais fabriqué à partir du polystyrène. C'était une sphère vert pâle, de la couleur du plastic, qui avait un peu plus de 60 centimètres de diamètre. Pour moi, elle ressemblait à une reproduction de la terre, ronde, verte, et prête à exploser. Les deux fils isolants de couleur orange couraient sur toute la surface de la bombe, reliant les détonateurs entre eux, puis ces fils disparaissaient dans un tiroir derrière la table. M'Bala se leva.

— Laissez-moi vous montrer, dit Bobby.

Bobby et M'Bala étaient debout près de la bombe. Bobby montrait du doigt le plastic, les détonateurs et les fils, et il parlait sans arrêt tandis que les grands yeux noisette de M'Bala inspectaient chaque centimètre carré de la bombe.

— Comment puis-je avoir l'assurance qu'il s'agit réellement de plastic explosif ?

Bobby lui montra les sachets déchirés qui avaient contenu des charges de plastic. M'Bala lut ce qui était écrit dessus et parut satisfait.

— Mais nous n'avons pas le droit de vous dire que nous avons mis du plutonium à l'intérieur et que tout a été fait correctement, dit Bobby hypocritement.

— Ah bon ! fit M'Bala.

— Monsieur M'Bala, déclarai-je d'un ton qui se voulait détaché — alors qu'en fait j'étais très tendue —, j'ai rédigé une thèse, à Princeton, sur la théorie et la fabrication des réacteurs à neutrons rapides. Ce sont des réacteurs très compliqués. A côté d'eux, celui-ci n'est qu'un jouet. Mais une bombe atomique est, en fait, le réacteur de base le plus élémentaire et le plus simple qui soit. Actuellement, nos connaissances étant ce qu'elles sont, tout individu un peu compétent est capable de faire une bombe atomique artisanale, croyez-moi sur parole.

M'Bala redit : « Ah bon ! » et hocha la tête en continuant de regarder la bombe ; il la scrutait, la photographiait des yeux. Puis il revint dans le living et donna l'impression d'une extraordinaire concentration : il pensait. Son pantalon était si étroit qu'il m'était difficile de croire que ses jambes puissent être dedans. Il resta debout un moment, regardant Stoop.

Stoop lui rendit son regard mais il ne dit rien. Stoop était subjugué par M'Bala. Toute cette intelligence et ce pouvoir chez un Noir ! Il n'en revenait pas. A part son refus grossier de partir quand Bobby le lui avait demandé, Stoop était devenu un petit garçon bien sage depuis que je l'avais menacé de faire exploser la bombe.

— Une question, dit M'Bala toujours immobile au centre du living. Je dois avouer que votre démonstration est très convaincante. Mais si c'est une vraie bombe atomique que vous possédez là, n'êtes-vous pas un peu imprudents de me l'avoir montrée ? Je pourrais appeler la police...

— Pas imprudents du tout, dit Bobby en souriant, se détendant enfin. J'ai d'ailleurs l'intention d'appeler la police moi-même. Et tout de suite, encore...

CHAPITRE XXVIII

Pat Walsh n'était pas rentré chez lui depuis trois jours. Il alla prendre une vieille chaise qui traînait au milieu d'un tas de poubelles sur le trottoir et la ramena à l'intérieur de l'épicerie. Il s'assit dessus près de la fenêtre et continua d'observer la rue par le trou qu'il avait fait dans la chaux qui recouvrait les vitres de la fenêtre. Il notait sur un carnet matricule le numéro de chaque voiture qui passait plus d'une fois dans la rue. Les premières pages de son carnet étaient pleines de numéros cochés, une centaine. Il avait vu Stoop entrer et sortir une douzaine de fois, ainsi que la fille et son ami, l'autre Noir, et également quatre autres locataires et ce grand type noir avec une Mercedes. Il n'avait dormi que quatre heures, la nuit précédente, couché par terre dans l'épicerie; il était sorti deux fois dans la journée pour téléphoner à sa femme depuis une cabine publique, dans Houston Street. Il était fatigué, pas rasé, sale et il savait qu'il allait devenir fou à s'acharner ainsi à courir après l'impossible.

Le troisième jour, à 17 heures, une voiture noire avec une antenne à l'arrière se gara le long du trottoir. Trois hommes en sortirent et entrèrent au 181. Un de ces hommes était M. Pitt...

Walsh sentit le cœur lui manquer, exactement comme s'il venait de voir un autre homme entrer dans la chambre à coucher de sa femme. Il aurait voulu traverser la rue et pouvoir tirer six balles de son revolver dans la sale peau noire de Stoop.

Walsh sortit de l'épicerie en renversant la chaise et courut jusqu'à la cabine téléphonique de Houston Street.

154

— Allô! je veux parler à Dusko, de la part de l'agent détective Walsh...

Il entendit des déclics dans le combiné du téléphone, des bruits de fond, puis enfin la voix de Dusko.

— Salut, Pat. Je crains de n'avoir encore aucune bonne nouvelle pour toi. Ton avocat...

— Je me fous de mon avocat. Il faut que je te voie. Immédiatement. C'est...

— Hé! doucement, Pat. Je ne te comprends pas. Tu as l'air...

— Fou. C'est vrai. Ouais, je suis fou. Il faut que je te voie. Tu dois venir me voir.

— Qu'est-ce qui se passe, Pat? Je ne peux pas bouger d'ici. J'ai des gens dans mon bureau. Qu'est-ce qu'il y a?

— C'est le plus beau coup de ta vie, Dusko. Nous perdons du temps.

— Tu m'as l'air assez hystérique.

— Je suis très calme, Dusko. Je n'ai pas dormi depuis trois jours. Si tu arrêtais de déconner et de perdre ton temps, et si tu venais me voir, tu deviendrais hystérique toi aussi. C'est le plus gros coup de ta vie que je suis en train de t'aider à faire, Dusko. Tout ton putain d'avenir professionnel dépend de ce que j'ai à te dire.

— De quoi s'agit-il?

— Viens me voir.

— Viens plutôt à mon bureau.

— Dusko, tu es un... Et puis merde, O.K.! j'arrive.

Il raccrocha et héla un taxi.

Dusko était un petit homme avec une grosse tête ronde et presque imberbe. Il avait l'air d'un enfant. Les gens qui le voyaient pour la première fois se demandaient comment un homme si jeune pouvait avoir de telles responsabilités. En fait, il avait trente-trois ans et il était substitut depuis huit ans.

Quand Walsh entra, Dusko ne se leva pas et il ne lui serra pas la main non plus.

— Tu as une tête épouvantable, Pat. D'où sors-tu? Qu'est-ce qui est arrivé?

— Laisse-toi aller pendant une minute, dit Walsh, et suppose, suppose simplement que la moitié de Manhattan soit sur le point d'être pulvérisée et que je puisse te donner l'information susceptible d'éviter ce drame. Quels avantages en tirerais-je ?

— Si tu es venu ici pour me proposer un marché, Pat, tu aurais dû amener ton avocat avec toi.

— Tu ne m'écoutes pas, Dusko. Je suis simplement en train de te dire que la moitié de Manhattan est sur le point d'exploser.

— Tu as vraiment l'air dingue et tu pues comme c'est pas possible. Qu'est-ce qui t'arrive ?

— Réponds à ma question.

— Qu'est-ce que tu as derrière la tête, Pat ?

— Je suis sur le point d'être poursuivi en justice pour avoir, entre autres chefs d'accusation, accepté un pot-de-vin de 1 000 dollars. Je veux que les poursuites engagées contre moi soient arrêtées et en contrepartie je te donne l'information capable de te mener à la plus grande prise de l'histoire du crime.

— Quelle prise ?

— Une bombe.

— Je ne peux pas classer comme cela une affaire, Pat. C'est ridicule. S'il y a quelque chose que tu veux me dire, le Parquet le prendra en considération et informera le juge, si tu es condamné, de ta coopération et de ton aide. C'est tout ce que le Parquet...

Walsh posa ses deux mains sur le bureau de Dusko.

— C'est à moi que tu parles, Dusko, et pas à un connard de junkie. Arrête tes laïus à la con. Je suis coincé et je veux m'en sortir.

— Assieds-toi, Walsh, et ne hurle pas après moi. Je ne sais même pas de quoi tu parles. Quelle bombe ?

— Une bombe atomique.

— Tu débloques ou quoi ?

— Je peux le prouver. Je l'ai vue, cette bombe. Je connais un indic qui a participé à sa fabrication. Tu peux rester assis là comme un con, si tu veux, ou bien tu peux me croire sur parole et te bouger le cul de ce bureau.

— Où est-elle, cette bombe ?

Walsh s'assit.

— Pas de contrepartie, pas d'information, Dusko...

— Si ce que tu dis est vrai — et pour être honnête avec toi je pense que tu es fou et je ne crois pas un mot de ce

156

que tu me racontes —, mais si c'est vrai, il nous faudrait beaucoup de temps devant nous.

— Nous n'avons pas de temps du tout, Dusko.

— D'accord. Alors, qu'est-ce que je peux faire?

— C'est ton problème. Trouve quelque chose, un compromis... Le temps presse.

— Si je te donne satisfaction, que se passera-t-il?

— Tu prends quelques hommes avec toi, nous nous transportons sur les lieux, nous mettons la main sur la bombe et tu deviens un héros, et moi aussi par la même occasion. Car je suis un héros, Dusko, pas un vulgaire flic véreux et corrompu...

— D'accord. On va voir ça. Si tu dis la vérité, je ferai tout ce que je peux pour toi.

— De nouveau tu me parles comme à un camé, Dusko.

Dusko éleva la voix.

— Baisse d'un ton, Walsh! Tu entres ici l'air totalement fou, avec une histoire totalement folle de bombe atomique et tu voudrais que d'un coup de baguette magique je fasse comme si tu n'étais pas compromis...

— Si le Parquet fait des misères à un flic qui a découvert une bombe pouvant tuer un million de personnes, l'opinion n'aimera pas ça du tout, Dusko...

— Ouais, c'est vrai ça...

Walsh se tut. Il essayait de se calmer. Dusko tenta de gagner du temps :

— Pat, arrêtons de parler de ce que nous rêvons et parlons de ce qui est possible. Peut-être y a-t-il une bombe. Supposons que tu aies raison. Il faut donc agir vite. Nous n'avons pas le temps de faire venir ton avocat, ni de parler au procureur, ni de faire quoi que ce soit. Faisons ceci. J'appelle ma secrétaire et je dicte une note...

Walsh s'était presque endormi dans le fauteuil de cuir où il était assis. Le bureau était climatisé, Walsh sentait le sommeil l'atteindre, le gagner. Les choses n'étaient plus dans ses seules mains maintenant, il avait fait tout ce qu'il avait pu. Un petit coup d'éponge sur son casier judiciaire et tout serait net. Il se frotta la barbe et les yeux, et regarda fixement par la fenêtre le soleil qui donnait sur les bâtiments du Parquet général.

— Pat? Oh! Pat, tu m'écoutes?

— Ouais, je t'écoute, une *note*.

Il pensa à sa femme. Il était vraiment dingue. Une note! Une sale note! Pitt était déjà là-bas, dans l'appartement.

Dusko appuya sur un bouton et une grosse dactylo entre deux âges apparut dans l'encadrement de la porte.

— Apportez votre bloc, lui ordonna Dusko.

Walsh écouta Dusko dicter sa *note* :

« A qui de droit, la présente note certifie que, ce jour, l'agent détective de deuxième échelon Patrick Walsh s'est volontairement présenté par-devant moi et m'a fourni une information relative à l'existence d'une bombe atomique dans l'État de New York; qu'il s'est volontairement proposé à localiser l'emplacement de cette bombe, ainsi qu'à poursuivre et appréhender les individus détenant illégalement celle-ci. Par cette note, le Parquet général donne acte à l'agent détective Walsh — lequel fait actuellement l'objet d'une information judiciaire —, que l'initiative de son intervention ainsi que son esprit de devoir et de coopération manifesté par-devant moi, à l'occasion du délit précité (fabrication et recel de bombe), seront portés à la bienveillante attention de M. le procureur général et que, s'il venait à être inculpé pour des faits personnels, son esprit de coopération serait également porté à la connaissance du juge chargé d'instruire son procès. »

— Mademoiselle, vous me tapez cela immédiatement. Je signerai. Dépêchez-vous! ordonna Dusko à la dactylo.

Walsh se prit la tête entre les mains, affreusement déçu :

— C'est vraiment le genre de baratin judiciaire bon pour les toxicos...

— Qu'est-ce que tu dis, Pat?

— Rien. Et puis je m'en fous. Tu n'as qu'à me la poster, ta putain de note...

CHAPITRE XXIX

Dès que M'Bala fut parti, on s'est assis tous les trois en essayant d'imaginer ce qu'il allait faire : nous balancer aux flics, coopérer avec nous ou se dépêcher d'oublier toute l'affaire? Je ne croyais pas qu'il y eût une seule chance qu'il joue le jeu, même si ses yeux avaient fait tilt quand il lui était venu à l'esprit que notre bombe pouvait bien être une *vraie* bombe. D'un autre côté, quelque chose en lui me faisait penser qu'il ne nous donnerait pas à la poulaille. Mais je pressentais qu'il penserait à cette histoire pendant quelque temps et puis qu'il laisserait tomber. Bobby était sûr de pouvoir compter sur lui :

— Il va marcher avec nous, disait-il, il sait que c'est une vraie bombe et que les gens de son pays meurent de faim. Il va marcher avec nous, je vous dis. C'est la plus formidable occasion que son pays ait jamais eue. C'est un homme intelligent. Il comprend tout le parti que son pays peut tirer de la possession d'une telle arme. Nous lui donnons les moyens de « changer la vie » de son peuple. Il va nous rappeler, dans quatre heures...

Il continua comme ça, longtemps, monologuant. En fait, d'après moi, il cherchait à se convaincre lui-même. Vous connaissez ce genre de types idéalistes : lorsqu'ils veulent à tout prix quelque chose, ils travaillent comme des fous dans ce but, et il leur faut absolument s'imaginer que tout le monde partage leurs vues. Ils s'autohypnotisent, c'est ce qu'on dit, non? Eh bien, Bobby s'était autohypnotisé. Depuis que la bombe était achevée, il était très bizarre. Je pense que le fait qu'elle soit vraiment là, vous voyez, le fait de l'avoir vraiment construite et qu'elle soit opérationnelle, je crois que ça lui avait fichu un sacré coup.

159

Ce n'était plus du rêve. Il possédait réellement une bombe atomique, donc il ne rêvait plus. La nuit précédant la visite de M'Bala, nous avions essayé de faire l'amour, mais Bobby n'y était pas parvenu. J'avais pensé : « Tiens, tiens! Le grand chef noir ne peut même plus bander... » Mais je ne l'avais pas accablé, je luis avais dit que cela n'avait pas d'importance. Il m'a alors répondu quelque chose de très désagréable à entendre, mais je n'ai rien répondu, craignant de me mettre en colère et de devenir grossière à mon tour.

Bobby estimait que la première chose à faire était d'appeler les flics. Je ne comprenais pas cette idée fixe. J'ai dit :

— Bobby, comment peux-tu songer à appeler les flics, alors que tu n'as même pas un seul pays africain qui marche avec toi...

Il me répondit :

— Nous avons un pays.

— M'Bala?

— Exactement.

— Mais que se passera-t-il si ce monsieur ne marche pas?

Bobby devint alors fou de rage :

— Écoute, Aizy, tu me laisses m'occuper de cela, veux-tu? J'ai beaucoup parlé à M'Bala, je le connais. Il est avec nous, de notre côté. Crois-moi. Il faut me croire, vu?

— O.K.! ai-je dit avec résignation.

Après tout, si ça lui faisait du bien de rêver ou de croire au Père Noël... Peut-être M'Bala lui avait-il donné des garanties? Peut-être préparait-il avec ce M'Bala un gros coup, dont il ne m'avait pas parlé. Bobby était secret, il aimait le mystère. De toute façon, toute cette histoire de chantage international et de pays d'asile, c'était de la pure connerie. Tout ce que je voulais, moi, c'était que le gouvernement teste ma bombe... Alors, Bobby s'est dirigé vers le téléphone pour appeler les flics. Stoop l'a arrêté.

Stoop avait l'air très nerveux. Il paraissait mal à l'aise comme si les choses étaient allées trop vite pour lui. Stoop se sentait dépassé, ne comprenant plus rien à rien, parce qu'il n'était plus dans son élément : la rue. Dans la rue, Stoop agissait vite : « Haut les mains ou je tire! » Vous

160

voyez la nuance, quoi! Dans la rue, il était quelqu'un; ici, plus rien du tout.

Il n'avait pas du tout compris M'Bala, par exemple. Donc, quand Bobby alla vers le téléphone, Stoop a fait son numéro de rue :

— C'est mon affaire, les flics, ne les appelle pas. Laisse-moi faire. J'ai des amis, mon vieux. C'est mon rayon. Les flics, vieux, je m'en occupe.

Bobby a donc laissé le téléphone tranquille. Stoop s'est levé, puis il est sorti en nous disant qu'il serait de retour cinq minutes plus tard. Il n'est rentré qu'une heure après en nous assurant que tout était arrangé.

Environ vingt minutes plus tard, ces trois types sont entrés dans l'appartement. Celui qui paraissait être leur chef nous a dit s'appeler Pitt et il nous a montré une carte du F.B.I. C'était un type assez beau, bien habillé, avec de splendides yeux bleus. Mais froids. Il était très poli et il nous souriait, mais, tandis qu'il parlait, ses yeux petits comme des glaçons pointus et bleus vous transperçaient et vous donnaient froid dans le dos. Il n'a pas dit comment il savait tout ce qu'il savait, et donnait l'impression de faire semblant de ne pas connaître Stoop... Donc il nous a dit, comme ça, avec son regard glacé, transperçant, qu'il avait entendu dire que nous avions une bombe, soi-disant. Bobby lui a répondu :

— C'est vrai, nous avons une bombe, une vraie bombe.

Alors ce Pitt a dit que nous risquions des tas d'emmerdements, la prison à perpétuité, sans compter le fait que nous risquions nous-mêmes de sauter avec cette bombe, tout le baratin d'usage, quoi. Puis il nous a demandé de lui faire voir la bombe, afin de s'assurer qu'elle était bien *vraie*.

Bobby a répondu qu'il pouvait voir la bombe, que nous l'avions justement fait venir pour ça et que nous avions l'intention de la lui remettre à certaines conditions.

— Quelles sont vos conditions? demanda Pitt.

Lui et les deux autres types étaient debout au milieu du living.

— Regardez-la d'abord, dit Bobby. Après, nous causerons.

Alors j'ai découvert le drap, et Pitt a fait un pas en

161

direction de la bombe. Mais l'un de ses adjoints l'a devancé et ses yeux ont fait tilt quand il a vu la chose.

— Ne touchez à rien, ai-je dit. Si vous touchez quoi que ce soit, elle va exploser.

Alors ce type qui avait le nez sur la bombe a tourné autour de celle-ci et l'a bien regardée. Il portait une chemise de tennis et ses pantalons faisaient des plis aux genoux; il n'avait pas un air flic comme Pitt et le troisième type. Il a regardé la bombe sous toutes ses coutures et a hoché la tête d'un air connaisseur.

— Qu'avez-vous mis à l'intérieur? a-t-il demandé.

— 7 kilos de plutonium métal, ai-je répondu.

— Plutonium métal! s'est-il exclamé d'un air incrédule. Où vous l'êtes-vous procuré?

— D'abord, qui êtes-vous? lui ai-je demandé.

Il m'a souri et m'a tendu la main. Oui, nous nous sommes serré la main.

— Richard Brech, a-t-il dit, membre de la Commission à l'énergie atomique, la C.E.A.

Ça m'a donné un choc. Enfin, quelqu'un qui allait me comprendre!

— Nous avons volé du nitrate de plutonium à l'aéroport Kennedy. Je sais que j'aurais pu utiliser de l'oxyde plutonique mais le métal de plutonium a un spectre plus dur ainsi qu'un plus haut degré de rendement, comme vous le savez sans doute.

Il acquiesça.

— Je pense que le tout pèse environ 60 kilos, ai-je dit.

— Pourrais-je voir les tubes vides, les tubes qui ont servi à transporter le nitrate?

— Bien sûr, pourquoi pas? Ils sont là-dedans.

J'ouvris le placard, il regarda et hocha la tête à nouveau :

— Qu'avez-vous utilisé comme isolant?

— Paraffine.

— Combien?

— 15 centimètres tout autour. Je sais que scientifiquement parlant ce n'est pas très orthodoxe, monsieur. Le béryllium a une section efficace beaucoup plus faible pour l'absorption des neutrons thermiques, et il est plus léger; mais il est dur à travailler, comme vous le savez, et en outre il est fragile; de plus il est difficile de s'en procurer et c'est cher. La paraffine n'est qu'un expédient technique, mais qu'est-ce que ça peut faire, puisque la bombe marche, comme vous pouvez le constater...

Il tournait toujours autour de la bombe, l'examinant dans ses moindres détails, en connaisseur. Ça me faisait chaud au cœur, c'était la première fois que mes travaux impressionnaient un expert d'une aussi haute compétence. J'aurais voulu qu'Elkins soit là : il aurait été horrifié (bien entendu) mais fier de moi, peut-être, d'une certaine manière.

— Plus 15 centimètres de C/4? me demanda l'expert.

— Évidemment. (Je jouissais de l'éblouir et en profitai pour me mettre en valeur.) Je suis parvenue à obtenir la réaction en chaîne, comme Fermi... Doutez-vous encore?

— Combien de détonateurs?

— Une centaine.

— Pensez-vous que vous obtiendrez une implosion sphérique?

— Pas totalement. Ce sera une implosion « incomplète ». Je sais ce que vous pensez : pas de lentilles explosives. Malheureusement, le gouvernement n'est pas aussi généreux avec la technologie de pointe des explosifs qu'il ne l'est avec les secrets nucléaires, aussi ai-je dû me passer de lentilles explosives. Mais les détonateurs feront l'affaire. Bien sûr, nous aurons des vagues d'interférences et des réactions; cela diminuera probablement l'intensité du rendement de l'explosion, mais cette question ne me paraît pas essentielle...

— Que pensez-vous obtenir comme rendement d'explosion?

— Quelque chose comme 10 kilotonnes.

Il se recula et regarda attentivement la bombe, de haut en bas, comme s'il allait me proposer de me l'acheter.

— A mon avis, vous pourrez obtenir un plus grand rendement...

Décidément, l'expert y croyait, à ma bombe; j'étais aux anges!

— Oui, mais cette question me paraît subsidiaire, du moment qu'elle marche...

— Oh! je n'ai aucun doute là-dessus! Elle ne peut que marcher.

163

Pitt et le troisième type nous avaient écoutés en silence. Alors Pitt dit :

— Vous nous avez parlé de conditions?

— Oui, répondit Bobby. Nous voulons obtenir premièrement l'assurance que cette bombe sera testée et que les résultats de ce test seront publiés. Deuxièmement : un accord stipulant que nous ne serons pas poursuivis pour les infractions que nous avons commises ou que nous pourrions commettre du fait de cette bombe. Troisièmement : un sauf-conduit pour quitter les États-Unis en vue de nous faire recueillir dans un pays d'asile que nous vous désignerons quand nos conditions auront été acceptées. Quatrièmement, nous voulons l'amnistie totale des délits actuellement imputables à M. Youngblood ici présent. Et enfin, messieurs, enfin, nous voulons qu'il nous soit remis une quantité de plutonium égale à celle contenue dans la bombe, c'est-à-dire environ 7 kilos.

— Nous voulons d'abord nous asseoir pour réfléchir, dit Pitt.

— Je vous en prie, déclara Bobby.

— Je ne peux rien vous promettre, dit Pitt après qu'ils se furent assis sur le sofa. Je ne peux que transmettre vos conditions aux autorités compétentes et attendre leur décision. Nous transmettrons, d'autre part...

— Écoutez, fit Bobby, l'interrompant brutalement en haussant la voix, vous pouvez transmettre tout ce que vous voudrez, mais, si ces conditions ne sont pas acceptées dans leur totalité avant demain midi, nous ferons exploser la bombe.

Il alla au fond de l'appartement, fouilla sous le lit et ramena un réveil duquel pendaient des fils. Il le posa sous le nez de Pitt. Bobby avait vraiment l'air menaçant d'un poseur de bombes fou.

— Demain matin, je brancherai ce réveil sur la bombe et remonterai la sonnerie pour midi. Après quoi, nous déclencherons le compte à rebours sauf si nos conditions sont toutes acceptées. Si elles ne le sont pas, la bombe explosera à midi pile!

Pitt écoutait calmement. A force de parler, Bobby était complètement en sueur. Tout d'un coup, il se sentit vidé, épuisé, n'ayant plus rien à ajouter.

— Autre chose, dis-je pour lui laisser le temps de souffler, nous avons installé des interrupteurs de pression sous la moquette, près de la porte, autour des fenêtres ainsi qu'à d'autres endroits de l'appartement. Nous avons également placé des fusibles de stabilité sur la bombe, des fusibles acoustiques, et nous avons aussi ce petit déclencheur.

Je sortis du tiroir les deux fils, reliés à un câble de 7 mètres et aboutissant au déclencheur — pour bien leur faire comprendre que c'était très sérieux et que je ne plaisantais pas.

J'ajoutai :

— Cela étant, si quelqu'un veut jouer au héros justicier ou essaie de nous piéger, de nous faire des misères, ou si quelqu'un devient trop agressif et méchant avec nous, enfin, vous voyez, eh bien, la bombe explose !

Bien entendu, nous ne possédions pas tout ce matériel, sauf le déclencheur que je tenais dans la main. Mais ils n'allaient pas prendre le risque de vérifier, non ?

CHAPITRE XXX

Dusko alerta la brigade anti-bombe puis descendit avec Walsh à l'étage au-dessous pour aller chercher deux inspecteurs mis à la disposition du Parquet.

Quand ils arrivèrent à Stanton Street, la voiture noire était toujours garée le long du trottoir; Pitt était assis au volant et les deux autres hommes sur le siège arrière. Walsh se dirigea vers Pitt et se pencha à la vitre :

— Auriez-vous ferré le gros poisson?

— Comment ça va, Paddy?

Walsh ne connaissait pas bien Pitt et le peu qu'il savait de lui ne lui plaisait pas. Pitt sortait de l'une des meilleures universités du pays, il s'habillait comme un P.-D.G. et ne transpirait jamais. Il avait d'épais cheveux noirs qui donnaient à ses yeux bleus l'air d'appartenir à quelqu'un d'autre.

— Je vais bien, dit Walsh. A quel cadavre avez-vous piqué vos yeux bleus?

— Qui sont vos amis?

Walsh présenta Dusko et les deux inspecteurs. Il jeta un coup d'œil à l'arrière de la voiture :

— Petite fête privée?

— Ginzman et Brech, dit Pitt.

Walsh leur adressa un vague salut de la tête. Ginzman avait un air connu, pas Brech. Ce dernier portait une jolie chemise de tennis mais il ne ressemblait pas du tout à un flic. Walsh était sûr qu'il n'appartenait pas au F.B.I.

— Vous êtes du bureau de New York? demanda-t-il.

— Non, dit Brech, je suis de la Commission à l'énergie atomique.

Le sourire de Walsh s'élargit :

— Oh! alors vous avez sûrement entendu parler de la bombe.

Pitt ne répondit pas.

— Je suis le premier à avoir été sur le coup, dit Walsh orgueilleusement, et bien sûr ils menacent de vous faire sauter si vous n'êtes pas gentils. Qu'en pensez-vous, Brech, est-ce une vraie bombe?

— Professeur Brech, rectifia Pitt. Nous n'en savons rien encore, Walsh.

— Les grands chefs ont-ils été avisés?

— Bien sûr.

— Avez-vous posté un homme derrière le 181?

Pitt hocha la tête, agacé par le ton de Walsh.

— Bien. J'ai aménagé une petite salle d'attente là-bas, juste de l'autre côté de la rue. Voulez-vous vous joindre à nous? Il est inutile de rester comme ça assis dans la voiture.

Walsh conduisit tout le monde vers l'arrière de l'épicerie cachère et les fit entrer.

— Sacré nom de dieu, Walsh! s'écria Pitt. Auriez-vous refroidi un mec là-dedans? Ça pue la merde à mort.

— C'est simplement la chaleur, Pitt. Il arrive que tout le quartier se mette à puer comme ça. Peut-être le substitut Dusko pourra-t-il « requérir » un serrurier pour faire ouvrir la porte de devant. Nous aurons besoin de téléphones aussi. Il va bientôt y avoir du monde ici, dans cette épicerie qui pue...

Dusko fit signe à l'un des inspecteurs.

— Appelle-moi Baxter et dis-lui de nous trouver le propriétaire de cette chiotte publique, et qu'il fasse aussi poser quatre lignes téléphoniques. Et essaie de nous débarrasser de cette chaux sur les vitres pour qu'on puisse voir ce qui se passe dehors. Passe-moi ces caisses de Coca-Cola, on va quand même pas rester debout comme ça toute la journée. Dis aussi au commissariat du quartier ce qui se passe ici, il faut faire bloquer la rue.

L'inspecteur était gras, paresseux et acceptait fort bien qu'on l'humiliât un peu. Mais Dusko y allait un peu fort.

— Tout ça, c'est du ressort de la brigade anti-bombe, rétorqua l'inspecteur.

— Fais ce que je te dis, répliqua Dusko.

Dusko questionna Pitt, le sachant très coopératif :

— Combien sont-ils là-haut?

— Trois, dit Pitt.

— Et la bombe?

— Nous l'avons vue.

— Qu'en pensez-vous? demanda Dusko en se tournant vers Brech.

— Je pense qu'elle peut exploser. Il y a là-haut une fille très compétente en la matière. Compte tenu de son haut degré d'instruction, de ses connaissances, de l'apparence générale de la bombe et aussi de ce que nous savons déjà, je pense qu'elle peut exploser.

— Que voulez-vous dire par « ce que nous savons déjà? »

Pitt intervint :

— On nous a signalé un vol de plutonium, à Kennedy, ainsi que du matériel explosif chouravé dans plusieurs autres endroits. Brech est là-dessus depuis plusieurs semaines.

— Savez-vous qui ils sont? demanda Dusko.

— Ils sont de Princeton, ce qui n'est pas tellement étonnant; nous avons envoyé des inspecteurs là-bas, pour qu'ils se renseignent sur place.

— Peut-être devrions-nous appeler Bossy? proposa Walsh.

Le gros inspecteur était revenu; il s'assit, pas content du tout, sur une caisse de Coca-Cola.

— Appelle Bossy, lui dit Dusko, et dis-leur que nous avons des poseurs de bombes au 181, Stanton Street. Dis-leur aussi que ce sont probablement des étudiants de Princeton mais que nous n'en sommes pas sûrs.

Walsh s'assit sur une caisse de Coca-Cola, dans le fond de l'épicerie. Il donna des coups de pied aux feuilles de journaux répandues sur le sol autour de lui. Trois nuits plus tôt, tombant de fatigue, il s'était couché dans un coin de l'épicerie en étalant ces mêmes feuilles de journaux par terre, sous lui, pour s'enfoncer dans un mauvais sommeil d'à peine une demi-heure.

Même en laissant la porte de derrière ouverte, il n'y avait pas assez de courants d'air pour épurer l'atmosphère lourde et irrespirable du magasin. Walsh allongea ses jambes, croisa ses bras sur sa poitrine puis appuya sa tête contre le mur. Un fil pendait au plafond, autour duquel étaient enroulés des petits drapeaux publicitaires rouges sur lesquels on pouvait lire : *Avec Coca-Cola on voit la vie en rose*. Il ferma les yeux. Il entendit le gros inspecteur faire son rapport à Dusko : le propriétaire des lieux — l'ex-épicier — allait venir; Bossy aussi, ainsi que les téléphones; la rue était bloquée; le commissaire du quartier allait arriver dans cinq minutes; *évacuation...* Il entendit encore des voix dans la pièce, la porte d'entrée de l'épicerie qu'un serrurier ouvrait, puis un enfant qui pleurait dans la rue...

Il sortit lentement de sa somnolence, comme s'il revenait de loin, de très loin, et découvrit qu'une main lui secouait doucement le poignet; cette main était couverte de cicatrices. Walsh rouvrit les yeux et vit un grand type en chemise bleue penché sur lui.

— Désolé de vous avoir réveillé, dit le grand type.

Son visage était sympathique, ses lèvres fines, et son regard franc se posa sur Walsh comme si les deux hommes se connaissaient et s'estimaient depuis de nombreuses années.

— Je suis le capitaine Ransom, Division des services spéciaux : Bossy.

Walsh voulut se lever. Ransom lui fit comprendre de ne pas se donner cette peine.

— Ne bougez pas. Je sais que vous êtes fatigué. Je voudrais seulement vous poser quelques questions.

Les espoirs éteints de Walsh se rallumèrent soudain.

— Je serai heureux de vous aider.

— Depuis combien de temps opérez-vous ici?

— Depuis deux semaines.

— Êtes-vous allé dans l'appartement?

— J'ai vu l'intérieur, depuis l'échelle de secours.

— Walsh, je suis moins intéressé par la bombe qui se trouve là-haut que par les jeunes gens qui nous posent un problème. Que savez-vous sur eux?

Walsh révéla à Ransom tout ce qu'il savait, en essayant de se mettre en valeur le plus possible.

— Il y aurait aussi un indic, à ce qu'on m'a dit. Je suppose qu'il doit s'agir de Stoop.

— C'est exact.

— Bien. Je reviendrai vous parler tout à l'heure. Vous serez dans les environs?

— Oui, monsieur, je ne bouge pas d'ici. Très heureux de vous aider.

— Reposez-vous, mon vieux.

Ransom ressortit dans la rue, devant l'épicerie, où une demi-douzaine d'hommes parlaient; parmi eux se trouvait Pitt.

— Hé! Pitt, cria Walsh, vous avez une minute?

Pitt s'approcha. Walsh se releva.

Walsh sourit à Pitt comme un vieil ami.

— Qu'est-ce que vous avez donc, Pitt, que moi je n'ai pas?

— Du charme et une belle gueule, mon vieux.

— Est-ce que Stoop vous a dit que je l'avais débusqué avant vous?

— Vous tenir à l'écart de tout ça faisait partie du marché que nous avons conclu.

— Pourquoi est-il allé vous trouver, vous? Je croyais que je l'avais terrorisé. Ça me dépasse.

— Vous devriez essayer l'amour, Paddy; ça marche beaucoup mieux; Stoop m'adore, vous il vous hait...

— Pourquoi est-il allé vous trouver, vous?

— Parce qu'il voulait assurer ses arrières en jouant sur les deux tableaux : d'une part, en restant avec ses petits copains qui lui promettent sa liberté sous caution; d'autre part, en les trahissant en douce, pour que je le tire d'affaire au cas où leur coup tournerait mal.

— Quel con stupide!

— Des mecs intelligents, vous en connaissez, vous?

— Moi qui pensais que je l'avais effrayé à mort, murmura Walsh. (Puis il se mit à rire.) Ne faites jamais confiance à un indic, Pitt. Il vous baisera à tous les coups. C'est pire qu'une pute, un indic...

Walsh retourna s'asseoir sur sa caisse de Coca-Cola. Pitt sortit de l'épicerie et rejoignit Ransom, qui parlait à des policiers en tenue; une gyrophare rouge tournait sur le toit d'une voiture de police.

Walsh ferma les yeux. Il était dans la merde, et adieu sa « note » de circonstances atténuantes si Dusko venait à apprendre que tout, en fait, était parti de Pitt — officiellement, en tout cas —, oui, adieu sa « note » si Dusko apprenait que Stoop était l'indic de Pitt et que c'était à

Pitt que ce putain d'indic avait lâché tous les détails de la bombe. Rien n'empêcherait alors Dusko de lui dire : « Au fond, le Parquet ne te doit rien, Walsh, puisque c'est Pitt qui a officiellement ferré le poisson... » Oui, ce serait miracle si Dusko ne revenait pas sur sa décision d'arranger ses affaires, lorsqu'il découvrirait que Walsh s'était fait coiffer par Pitt dans l'affaire... Et puis merde! Il se foutait de tout, maintenant! Il se foutait même d'espérer. Les choses ne dépendaient plus de lui, dorénavant.

Walsh sentit quelqu'un qui s'asseyait à côté de lui, il ouvrit les yeux et vit Brech, le type de la C.E.A.

— Vous permettez que je me joigne à vous?

— On est en démocratie, répondit Walsh en refermant les yeux.

Il pensa à sa famille. La dernière fois qu'il l'avait vue, c'était dimanche. Ses parents étaient venus dîner, un grand dîner dominical en famille. Il y avait du gigot. Après le café, il les avait quittés pour venir reprendre sa planque dans cette épicerie infecte... Il leur avait dit qu'il avait un travail à faire pour le procureur; ils avaient tous souri, avec fierté, même sa femme qui pourtant ne le croyait pas. Il avait bien vu à ses yeux qu'elle ne le croyait pas. Il avait serré ses fils dans ses bras et les avait embrassés. Il avait embrassé tout le monde, toute la famille, même son père : cela faisait quinze ans qu'il n'avait plus embrassé son père, mais, dimanche dernier, il avait même embrassé le vieux. Walsh rouvrit les yeux. Brech était toujours là. Il rongeait ses ongles.

— Vous êtes du F.B.I. ? demanda Walsh.

— Non, je ne suis pas flic.

— Je croyais que vous étiez des services de sécurité.

— Pas du tout. Il m'arrive quelquefois de coopérer avec les gens de la sécurité, mais je suis ingénieur.

Walsh regardait les chaussettes de Brech, des chaussettes à losanges oranges et bleus.

Brech dit :

— Vous aimez mes chaussettes?

— Non, pas tellement, à dire vrai, la dernière fois que j'ai vu une paire de chaussettes comme ça, c'est quand j'ai coffré un giton pour homosexualité sur la voie publique.

— Elles sont très confortables.

— Ouais, je le suppose.

Walsh remarqua aussi que Brech portait un bracelet-montre extensible Speidel au poignet gauche. Il aurait bien parié que Brech rangeait aussi sa monnaie dans un petit porte-monnaie en cuir.

— Quel âge avez-vous? demanda Walsh.

— Cinquante-quatre ans.

— Vous prenez grand soin de vous, on dirait.

— Non, je fais du handball, ça conserve.

Ils étaient assis l'un près de l'autre, regardant sans les voir les policiers qui allaient et venaient dans la rue, devant l'épicerie, ou à l'intérieur de celle-ci. Au bout de quelques minutes, Walsh dit :

— Ce type là-bas, eh bien, ça me dérangerait pas beaucoup s'il crevait dans une explosion.

Brech suivit son regard et aperçut un officier supérieur de police en tenue, aux cheveux coupés court, qui se tenait dans l'encadrement de la porte d'entrée de l'épicerie.

— Oui, l'inspecteur-chef Caroll, dit Walsh. Ce débile des méninges croit tout savoir. Avec lui à la tête des opérations, nous serons morts avant l'aube.

Comme Walsh s'était arrêté de parler, Brech reprit :

— Dans les années 40, pendant les tests de Bikini, je faisais de la télémétrie sur le vieux *Saratoga* et j'avais un pacha qui ressemblait à votre Caroll. C'était un type venimeux, mauvais comme c'est pas possible, exactement ce genre de pervers qui, s'il trouvait le moyen de guérir le cancer, n'en parlerait à personne.

Walsh rit :

— Êtes-vous marié?

— Elle est morte. J'ai un môme à l'école polytechnique de Californie.

— Moi, j'ai deux jumeaux.

— Quel âge ont-ils?

— Sept ans.

Ils se turent de nouveau, regardant Ransom qui parlait à Pitt et qui lui demandait quelque chose. Il suffisait de voir la tête de Pitt pour être certain que Ransom n'obtiendrait rien de lui.

— Ingénieur, reprit Walsh.

— Eh oui!

172

— D'après vous, combien de gens cette bombe peut-elle tuer ?

Brech releva ses talons, prit ses genoux dans ses bras, essaya de ne pas se ronger les ongles.

— Je me suis posé la même question que vous. *Grosso modo*, je dirais qu'il y a danger de mort pour toute vie humaine dans un rayon de vingt pâtés de maisons, c'est-à-dire depuis la 6e avenue jusqu'à l'East River et de la 20e rue au pont de Brooklyn, sans compter l'écart des retombées. Ce qui fait environ cent mille personnes.

Walsh siffla d'incrédulité.

— C'est l'effet d'une explosion de l'ordre de 10 kilotonnes soit à peu près l'équivalent de la bombe d'Hiroshima. Même une petite explosion, vous savez, même ça pourrait avoir des effets catastrophiques d'ici jusqu'à Canal Street.

Walsh se tourna vers Brech et le regarda attentivement.

— Vous me paraissez calme, mais je ne crois pas que vous l'êtes autant que vous voulez le paraître.

— Si j'ai l'air calme ! Mais vous ne vous rendez pas compte que je m'attends à ça depuis des années. Je me sens comme un sismologue qui voit venir un tremblement de terre. C'est terrible, angoissant, mais c'est quelque chose avec quoi il faut s'habituer à vivre, je suppose. Nous nous sommes habitués aux cinquante-cinq mille morts annuelles dues aux accidents de voitures, de même qu'aux cinquante mille enfants qui meurent chaque année par suite de mauvais traitements. La malaria tue un million de gens par an. Il y a quelques années, un cyclone au Bangladesh a tué un demi-million de personnes, mais vous ne vous en souvenez probablement pas. Eh bien, désormais, il faudra nous habituer à une nouvelle forme de terreur : le terrorisme nucléaire.

Walsh se mit à rire :

— Hé là ! doucement, ne nous faites pas tous sauter avant l'heure H ! Donnez-nous une chance !

— C'est difficile à croire, n'est-ce pas ? Il y a quelques années, j'ai dû aller quelque part dans l'État de New York, voir un directeur d'usine hospitalisé dans une clinique, section psychiatrie. La C.E.A. avait stocké beaucoup de plutonium dans son usine, et j'ai pensé qu'avec un directeur qui devient fou nous pourrions avoir des problèmes de sécurité. Donc je suis allé le voir, et nous avons parlé. Et savez-vous ce qu'il m'a dit? Il m'a avoué qu'il n'avait jamais pensé à la nature particulière du matériel dont il gérait les stocks, c'est-à-dire au plutonium. Avant, il travaillait pour un fabricant de peinture. Il pensait que le plutonium c'était la même chose. A ses yeux plutonium et peinture, c'était la même chose, il n'imaginait pas la différence. Il faut vous dire qu'à l'extérieur des bâtiments principaux de son usine, à côté des hangars où l'on déchargeait le plutonium, se trouvait une remise en béton : c'est justement dans cette remise qu'on entreposait les tubes de nitrate de plutonium, avant de les transporter. Il y avait, empilés les uns sur les autres, des centaines de tubes à l'intérieur de cette remise, soit environ 300 à 400 kilos de plutonium, c'est-à-dire assez pour fabriquer peut-être cinquante bombes A. Et puis, un soir, comme le directeur faisait un tour dans son usine, la porte de cette remise s'est ouverte, et qu'est-ce qu'il voit, qu'est-ce qu'il entend dans la rue : des voitures et des camions qui passent juste là, à peine à quelques mètres de la remise. Alors, à ce moment, il est devenu dingue en réalisant que son stock de plutonium pouvait lui être volé comme rien, avec toutes les conséquences de la chose... Ça a soudain fait tilt dans sa tête. Le choc, quoi! Il est resté prostré dans la remise toute la nuit et, le lendemain matin, il a fallu que les conducteurs de ses camions se mettent à quatre pour le tirer de là : un cas de psychose nucléaire, quoi...

— C'est depuis ce temps-là que vous vous rongez les ongles?

Brech regarda ses mains :

— Il faudrait que j'arrête de me ronger les ongles, vous avez raison.

Ransom continuait de parler à Pitt avec un sourire radieux qui plissait son visage bronzé. Pitt souriait légèrement lui aussi, maintenant. Brech se dit : « Pitt est embarrassé par la candeur de ce visage. » Comment peut-on lutter contre un sourire honnête?

— Je ne veux pas insister, dit Walsh, ni remuer le fer dans la plaie, vos ongles sont déjà en assez mauvais état. Mais tout de même, j'aimerais bien savoir comment diable une paire de morveux d'étudiants comme ces deux-là ont pu se débrouiller pour piquer du plutonium? Enfin quoi, c'est dingue une histoire pareille!

— Inspecteur Walsh..., reprit Brech.

— Appelez-moi Paddy.

— Paddy, le plutonium qui sort de cette usine dont je viens de vous parler est transporté par camion; des camions ordinaires conduits par des chauffeurs ordinaires, sans escorte spéciale, et qui parfois transportent jusqu'à 55 kilos d'uranium enrichi, ce qui est suffisant pour fabriquer une demi-douzaine de bombes comme celle qui se trouve là-haut. Aujourd'hui, la loi autorise toute entreprise de transport à se balader — comme si de rien n'était — avec 2 kilos de plutonium ou 5 kilos d'uranium enrichi à l'intérieur de ses camions, sans précaution particulière, tout comme les cigarettes, le papier hygiénique et le Johnny Walker. Quelqu'un pourrait voler les camions et leur chargement sans même se douter de ce qu'il contient...

— C'est charmant! Alors vous ne savez même pas où ils ont volé le plutonium?

— Justement si, mais c'est parce qu'elle me l'a dit : à l'aéroport Kennedy. Il y avait trois tubes de nitrate de plutonium en partance pour l'Italie; ils provenaient d'une usine de séparation isotopique. Ces tubes n'ont donc jamais fait le voyage prévu.

— Ils ont piqué les tubes, comme ça?

— Ils les ont transportés en voiture, plus exactement. Mais ça n'a rien d'exceptionnel. 2 pour 100 de tout ce qui est transporté dans ce pays disparaît. Vers la fin de ce siècle, nous aurons 100 tonnes de plutonium par an qui se baladeront en camion, en train et par avion. 2 pour 100 de cette quantité suffisent pour fabriquer deux mille cinq cents bombes. Ce n'est pas pour rien que le directeur de l'usine est devenu fou. Regardez-moi ces doigts. Je crois bien que je me rongerais tout aussi bien les ongles des orteils si je pouvais me les mettre dans la bouche.

Ransom et Pitt regardaient à présent des documents contenus dans un dossier. Ransom tenait le dossier ouvert devant lui tandis que Pitt sortait les documents et les commentait. La cicatrice sur le dos de la main droite de Ransom éveilla la curiosité de Brech.

— Tout de même, dit Walsh, on ne trimbale pas du plutonium comme si c'était des chambres à air. Aujourd'hui, on ne transporte plus le plutonium et tous ces machins-là que sous escorte armée...

— Vous rêvez ou quoi, Paddy? Rien n'est plus faux, mon vieux. Tenez, le mois dernier encore, je visitais l'une de nos usines de séparation isotopique à Portsmouth. Eh bien, je vous garantis que le plutonium enrichi, celui-là même qui nous sert à faire les plus grosses de nos bombes, sortait par camions, wagons et avions ordinaires. Aucun transport spécial, Paddy. Pas de camions blindés. Aucune escorte. Ces entreprises de transport n'ont même pas besoin d'une autorisation spéciale de la C.E.A. et vous savez pourtant aussi bien que moi que l'activité des transports est en grande partie entre les mains de la Mafia. Tenez, laissez-moi vous raconter une histoire drôle. En 1964, quand les Chinois ont fait exploser leur première bombe A, nous avons cru qu'ils nous avaient volé de l'uranium 235, mais personne ne savait où. Puis, un jour, nous avons découvert qu'il nous manquait 60 kilos de ce produit, volés dans une de nos usines, à Apollo, en Pennsylvanie. Nous nous sommes alors imaginé que l'uranium d'Apollo était donc parti en Chine. Et puis, un V2 a photographié une usine de séparation isotopique, en Chine, et nous avons donc eu la preuve que les Chinois fabriquaient leur propre uranium 235.

— Alors, demanda Walsh, et les 60 kilos d'uranium 235?

— Seul le diable peut savoir qui les a volés et ce qu'ils sont devenus!

— Quelle merde!

— Ouais, vous pouvez le dire. Où Ransom a-t-il attrapé cette horrible cicatrice? On dirait vraiment que quelqu'un lui a déchiqueté la main.

— Je ne sais pas, dit Walsh qui en fait le savait très bien et qui, si Brech avait été flic, aurait pu lui expliquer l'histoire de l'horrible cicatrice du capitaine Harry Ransom...

CHAPITRE XXXI

Alors Pitt, Brech et le troisième type partirent et nous avons commencé à attendre. Rien d'autre à faire qu'attendre. Dehors, la rue était bourrée de cars de flics et de voitures de pompiers, et toute cette agitation nous tint éveillés la plus grande partie de la nuit. Vers 1 heure du matin, Brech est revenu seul, il voulait me poser d'autres questions et regarder encore la bombe pour l'examiner. J'étais d'accord, pourquoi pas? J'aimais bien parler « science » avec lui. Il a dit :

— Quand je suis venu ce matin, je dois avouer que j'ai été très impressionné par votre « engin ». J'ai quelques connaissances sur la question et, pour tout vous dire, il y a longtemps que j'attends quelque chose de ce genre et peut-être que, dans mon angoisse à voir fabriquer un jour ce que vous prétendez avoir fabriqué, j'ai conclu un peu trop rapidement que votre bombe était capable d'exploser. A dire vrai, après y avoir un peu réfléchi, eh bien, je dois vous avouer que je ne suis plus tout à fait aussi sûr qu'elle puisse marcher.

Les dernières phrases, il les avait prononcées très lentement, doucement, avec un gentil sourire d'excuse, exactement sur le même ton que cette délicieuse vieille directrice du collège de Cleveland qui m'avait fichue dehors parce que les mères des autres mômes se plaignaient de moi. « Je suis affreusement désolée, ma petite, vous êtes une enfant brillante, nous vous aimons beaucoup ici et vous avez fait de votre mieux, mais il nous est impossible ... tout à fait impossible ... nous ne savons pas comment ... tellement désolée. »

Imaginez-vous les ennuis que Brech avait en bas avec tous ces flics et ces bureaucrates, ses supérieurs et tout le reste!

Je les entendais d'ici : « Comment savez-vous qu'elle va marcher, Brech? Une bombe atomique? Vous êtes fou, Brech, ou quoi? Une môme! Une fille en plus, avec deux nègres? Comment pouvez-vous être sûr? »

Ma réputation de compétence dépendait en fait de son diagnostic, donc je ne devais pas le décevoir. Ils ne voulaient pas y croire, c'était ça, non? C'est pour cela qu'ils l'avaient renvoyé jusqu'ici, pour qu'il regarde bien une nouvelle fois la bombe et qu'il revienne avec la bonne nouvelle : « Je me suis trompé, les gars. C'est du bidon. Ça ne vaut pas tripette. » Et voilà, il était donc revenu faire une seconde inspection et nous avons donc parlé « science ». Je l'aimais bien, Brech. Il était sympa. Je l'appelais tout le temps « professeur Brech » mais il me disait de l'appeler « monsieur ». Il m'a tout demandé sur la bombe : sa fabrication, sa composition chimique, il me « testait » vraiment pour voir si j'étais une vraie scientifique. C'était comme un oral, sauf que nous parlions d'un sujet très concret et que mon examinateur était un grand professionnel.

— Écoutez, ai-je fini par dire. Je sais qu'elle est grossière. J'ai une très grande probabilité de fuite. Le facteur effectif de multiplication n'est pas de beaucoup supérieur à un; mais ça n'est pas vraiment nécessaire, n'est-ce pas?

— Non, dit-il en devenant grave, ça n'est pas nécessaire.

Je crois que là, il était convaincu.

Il était sur le point de partir, mais, quand il fut près de la porte, Bobby lui bloqua le passage et lui dit :

— Avez-vous eu tous les renseignements que vous vouliez avoir? Êtes-vous convaincu?

— Eh bien, je...

— Je veux vous dire que, s'il y a autre chose que vous désiriez savoir, c'est maintenant qu'il faut le demander. Parce que vous ne reviendrez pas ici. Sauf si vous revenez avec les reporters et la télévision. Les petites visites, les petits tours en liberté, c'est fini. Dites-leur en bas qu'ils ont intérêt à nous prendre au sérieux. Si quelqu'un essaie de remonter ici, nous appuyons sur le bouton et bang! Est-ce que vous pigez?

— Oui, c'est très clair.

— Maintenant, partez.

Il partit.

CHAPITRE XXXII

Appuyé contre un mur de l'épicerie, Harry Ransom écoutait le professeur Brech raconter à une demi-douzaine d'officiers de police les péripéties aussi scientifiques que mouvementées de son deuxième voyage dans l'appartement. Il confirma avoir bien examiné la bombe et avoir eu une longue conversation avec la fille.

— A votre avis, cette bombe a-t-elle une chance d'exploser ?

— Pas une chance, messieurs, mais toutes les chances. C'est scientifiquement certain.

— Qu'elle va marcher ?

— Oui, je suis prêt à le parier.

Un des officiers secoua négativement la tête, sceptique.

— Vous savez, reprit Brech, si cette fille-là avait un revolver dans les mains et qu'elle me dise qu'elle l'a fait elle-même, je la croirais. Eh bien, une bombe atomique, c'est tout simplement aussi facile à faire qu'un revolver, de nos jours, vous devriez savoir ça.

Un lieutenant en tenue du commissariat du quartier, un type au visage couperosé qui devait avoir cinquante ans, s'extirpa d'un fauteuil pliant et dit :

— Mais cette jeune folle ne sait donc pas qu'elle peut provoquer un holocauste avec cet engin ? Je ne parle pas seulement de cette ville, je parle du monde entier.

— Vous serez content d'apprendre, lieutenant, répondit Brech tout en étant certain que l'intéressé ne serait pas content du tout, que l'on vous a mal informé. La bombe qui se trouve là-haut, dans cet appartement, dégagera considérablement moins d'énergie qu'un petit cyclone. L'énergie de l'explosion sera probablement moindre que celle dégagée par un rayon de soleil irradiant un kilomètre carré de notre planète pendant une demi-journée. Enfin, vous devriez savoir que la plus grosse arme nucléaire qui ait jamais explosé avait infiniment moins d'impact et de force qu'un grand tremblement de terre. Toutes les armes nucléaires du monde explosant simultanément un millier de fois ne détruiraient pas toute la vie sur terre. Alors, ne parlons pas d'holocauste. C'est un problème sérieux, certes, mais c'est un problème *local*...

Ransom écoutait. Ce qui l'intéressait, c'était moins la bombe que les trois jeunes gens. Pour le moment, il avait décidé de ne pas s'opposer à leur désir exprimé avec force, selon Brech, de ne plus tolérer aucune visite. Il était certain que tôt ou tard, cependant, il devrait aller les voir, mais il préférait attendre. Le temps travaillait en sa faveur. Les terroristes posent toujours des ultimatums, en règle générale, parce qu'ils essaient de faire du temps leur allié, mais ils perdent toujours parce que le temps est toujours du côté des autorités.

Il prit Brech à part :

— Parlez-moi encore d'elle.

— Rien d'autre à dire, capitaine. 1,65 m, corpulence moyenne, pas spécialement de formes, poitrine assez plate, cheveux blonds, agréable, gentille. Et des cicatrices...

— Ah bon, dit Ransom, des cicatrices...

Brech et Pitt avaient remarqué les deux coupures cicatrisées qui barraient l'avant-bras gauche d'Aizy. Tentative de suicide? Alors elle avait des problèmes psychologiques, mais n'en avaient-ils pas tous?

— Je l'aime bien, dit finalement Brech. Elle est intelligente, elle est très... très...

— Très quoi?

— Elle m'a donné l'impression d'être une personne raisonnable, quelqu'un de gentil. C'est avec elle qu'il faut négocier, je pense. Elle ne fait ça qu'en vue de faire tester l'efficacité de sa bombe. J'ai l'impression que l'idée du test doit venir d'elle. Les deux autres... bon, French est un peu bizarre. Je ne veux pas dire que je le croie complètement maboul mais ça se pourrait bien. Il est trop brusque, trop vif, il agit comme s'il venait de sortir des Marines. Je ne suis pas sûr de lui. Tandis que la fille, je pense qu'on peut s'appuyer sur elle. L'autre Noir, Youngblood, ne m'a pas adressé la parole. Il était assis au fond de la pièce, avec son air méchant.

Ransom s'était fait lire le casier de Youngblood au téléphone, depuis le siège du F.B.I. Il avait de lourds antécédents : trafic de drogue, agressions, hold-up à main armée, tentatives d'homicide, meurtre. Ransom se demanda comment ces deux étudiants étaient entrés en contact avec une pareille crapule. Les agents du F.B.I. avaient pu avoir accès à leurs dossiers universitaires, à Princeton et ils revenaient avec des photocopies. Le garçon était le fils d'un juge, avaient-ils dit au téléphone. Ransom espérait qu'on pourrait joindre ce dernier rapidement, ainsi que les parents de la fille.

Quelqu'un avait disposé une demi-douzaine de chaises pliantes et une table en bois au fond de l'épicerie. Trois téléphones étaient installés sur la table. C'étaient des téléphones de luxe, de couleur rose. L'inspecteur-chef Caroll utilisait actuellement l'un d'eux pour une communication avec Washington. Ransom pensait que toutes les conditions des jeunes gens semblaient relativement faciles à satisfaire sauf celle concernant leur demande de plutonium. Il ne pouvait imaginer le gouvernement leur livrant 7 kilos de plutonium en sachant qu'ils s'en serviraient pour fabriquer une nouvelle bombe. Quant aux autres demandes, concernant le test de la bombe elle-même, par exemple, elles étaient d'intérêt secondaire. Son boulot, c'était d'essayer de leur sauver la peau. Celui qui l'intéressait le moins, c'était Youngblood. A première vue, il semblait être le plus dangereux, à cause de son casier; c'était un animal habitué à la violence, un fana de la gâchette, mais tout bien considéré, pour Ransom, ce genre de type, c'était du *terrain connu*. Il pourrait se le mettre dans sa poche quand il voudrait, Youngblood ayant une âme de traître. French, en revanche, lui faisait peur; c'était un dangereux illuminé qu'il faudrait ligoter sur une civière ou dans une camisole de force. Ransom avait déjà eu affaire à quelques cas de ce genre, très rares d'ailleurs. Mais le personnage qui l'intéressait et l'inquiétait le plus, c'était la fille, Aizy. Même son prénom — Adélaïde — était différent de tous ceux qu'il connaissait.

Ransom passa la nuit assis sur une caisse de Coca-Cola, le dos contre le mur, les jambes étendues, à parler avec Brech et Walsh. Une grosse huile à Washington, ou à Albany, ou à la mairie de New York, ou dans les trois endroits à la fois, avait décidé qu'il fallait gagner du temps et attendre.

— Ça ne vous surprend pas, n'est-ce pas? demanda Brech.

— Qu'est-ce que vous croyez qui puisse arriver? demanda à son tour Walsh.

Ces deux questions s'adressaient à Ransom, mais, comme celui-ci demeurait silencieux, Brech reprit :

— Je ne crois pas qu'elle veuille appuyer sur le bouton. Les deux autres pourraient le faire, mais pas elle. Il y a si longtemps que je m'attendais à cela et maintenant que c'est là, que ça nous arrive vraiment, je n'arrive pas à y croire.

Allongé sur le sol dans un coin, un policier ronflait.

— En voilà au moins un que notre problème n'empêche pas de dormir, remarqua Ransom.

Pendant cinq minutes il y eut un silence, puis Brech dit :

— Vous êtes-vous déjà demandé combien d'autres engins de ce genre peuvent être déjà fabriqués dans le pays? A la C.E.A., l'un de nos chercheurs a une théorie qu'il appelle sa théorie du mile en quatre minutes; selon lui, pendant des siècles, après l'invention de l'horloge, personne n'a jamais couru le mile en quatre minutes, puis dès que quelqu'un y est arrivé, tout le monde s'est mis à en faire autant. Il dit que c'est ce qui va se passer avec les bombes atomiques artisanales : quand il y en aura une, il y en aura des milliers.

Walsh ne les écoutait plus et regardait le plafond. Ça faisait trois jours qu'il n'était pas rentré chez lui et il refusait de rentrer maintenant. Ransom se demandait pourquoi.

— Il y a actuellement assez de plutonium et d'uranium en circulation pour que ceux qui veulent faire une bombe puissent le faire, poursuivit Brech. (Il déboutonna la poche de sa chemise de tennis et en sortit une feuille de papier pliée) : Jetez un coup d'œil là-dessus, capitaine.

Ransom prit la feuille et la déplia. C'était la photocopie du dessin d'un objet en forme de tube, vu sous trois angles : les lignes en avaient été tracées à la règle par un dessinateur professionnel.

— Qu'est-ce que c'est? demanda Ransom.

— Un canon de bombe atomique. C'est le directeur d'une fabrique d'outils de Centre Street qui a transmis ce croquis au F.B.I. Il paraît que c'est une femme qui l'aurait apporté, elle voulait qu'on lui fabrique ce même type de canon. Quand le directeur lui a demandé ce que c'était au juste comme genre d'arme, elle est devenue évasive et lui a répondu de façon équivoque. (Brech reprit le croquis et le remit dans sa poche.) Ils sont en train de la rechercher.

— Quelle est la taille de ce canon?

— Pas très gros. Le tout tiendrait facilement dans un sac de golf. On peut le transporter partout. Le F.B.I. a déjà communiqué vingt croquis de ce type à la C.E.A.

— Comme celui-là?

— Oui, capitaine, à peu près tous semblables à celui-là. Il y a en ce moment un tas de gens qui font joujou avec des bombes atomiques...

— En quoi consiste exactement votre travail? demanda Ransom.

En fait, il pensait à Walsh, dans son coin, qui regardait le plafond, puis à ces trois jeunes gens, là-haut, dans l'appartement du 181.

— Ce n'est pas un travail très important, répondit modestement Brech. Simplement quelque chose qui me permet de ne pas faire trop de bêtises jusqu'à ma retraite. Dans ma branche, on atteint vite un seuil d'inertie professionnelle, sauf si l'on sait que vous voulez bien penser comme votre supérieur, quel qu'il soit. Si vous n'êtes pas assez souple, il faut vous écraser, voilà tout. Durant l'année qui vient de s'écouler, j'ai servi de conseiller scientifique aux agents de nos services de sécurité. Ils sont toujours en train de courir à droite à gauche pour essayer de récupérer du matériel militaire perdu ou volé. Le M.I.R., ça s'appelle.

— Le M.I.R.? s'exclama Walsh en refaisant surface.

Brech éclata de rire :

— Ça semble obscène, d'ailleurs ça l'est : M.I.R.,

matériel impossible à retrouver. Quand on traite un produit chimique, on ne sait jamais exactement de quelle quantité on dispose. Il s'en perd toujours un peu ici et là. Le taux de perte *acceptable* dans la plupart de nos usines de fabrication de plutonium est de 0,5 pour 100. Dans une grande usine, cela correspond à 150 kilos par an, ce qui est suffisant pour faire dix-huit bombes. Cela, c'est la perte acceptable, comme je viens de vous le dire...

— Je ne veux plus entendre ces conneries, s'écria Walsh, puis il dit à Ransom : Ce type, avec ses chaussettes de pédé, il est en train d'essayer de nous foutre la trouille, capitaine.

— Il y réussit pas mal, on dirait, déclara Ransom en riant.

Brech reprit, calmement :

— La totalité du M.I.R. de nos trois usines de transformation de plutonium dans le pays se compte par tonnes. Personne n'a la moindre idée de l'endroit où il peut se trouver. Voler dans ces usines n'est qu'un jeu d'enfant. On peut en emporter quelques grammes tous les jours dans son étui à cigarettes; le plutonium vaut aussi cher que l'héroïne sur le marché de l'arnaque et des combines. Et rien qu'avec le seul trafic d'héroïne, vous, messieurs les policiers, vous avez déjà fort à faire... Alors, imaginez un peu quand le trafic de plutonium ou d'uranium deviendra quelque chose de *sérieux*...

— Si on sait tout ça, dit Ransom, pourquoi ne fait-on rien? Je pose cette question même si elle est stupide.

— Réfléchissez, capitaine. Quand avez-vous commencé à faire la chasse aux trafiquants d'héroïne? Quand elle a commencé à entrer dans le pays ou quand les rues étaient pleines de camés?

— Là, il a marqué un point, intervint Walsh.

— Vous êtes marié, dit Brech à Walsh.

— Ouais.

— Bon. Dans ce cas, vous admettez qu'il y a des chances pour que votre femme vous trompe. Vous n'êtes pas chez vous vingt-quatre heures sur vingt-quatre. Il y a donc une possibilité, infime peut-être, mais virtuelle; simplement, vous n'y pensez pas pour le moment. Mais si vous rentrez chez vous et que vous la trouvez au lit avec un autre type, à ce moment-là, vous ferez quelque chose.

184

Walsh n'apprécia pas cette comparaison.

— Vous savez, Brech, vous avez vraiment beaucoup de charme. Personne ne vous l'a jamais dit? déclara Ransom.

A 15 h 15, cet après-midi-là, Ransom était en train d'étudier les deux dossiers de Princeton sur le fils du juge et la fille, et le casier du F.B.I. sur Stoop quand il entendit un policier derrière lui lui crier :

— Ils demandent un fourgon!

Ransom ferma les dossiers de Princeton et les tendit à Pitt. Puis il se tourna sur sa chaise et regarda Caroll qui prit le téléphone, écouta et répondit :

— Nous vous rappellerons.

Caroll raccrocha et prit l'autre téléphone; c'était leur ligne directe avec Washington. Tournant le dos aux autres policiers présents, Caroll se mit à parler doucement dans le combiné rose de l'appareil...

CHAPITRE XXXIII

A 9 heures, le lendemain matin, nous n'avions aucune nouvelle. Bobby commençait vraiment à s'énerver. Toute la nuit, il était resté près du téléphone en espérant que quelqu'un allait appeler pour nous annoncer que tout était accordé : « Nous allons vous livrer 7 kilos de plutonium et nous voudrions savoir quelle destination nous devons inscrire sur vos billets d'avion. » Mais personne n'avait appelé. Ni le F.B.I., ni les flics, ni la Commission à l'énergie atomique, ni Washington, et pas même M'Bala. S'il n'y avait pas eu tout ce remue-ménage dans la rue, en bas, on aurait pu croire que personne ne nous prenait au sérieux. C'était très déplaisant. C'était comme si les adultes ne croyaient pas un mot des grands rêves qui nous agitaient depuis toutes ces semaines.

Même le Journal télévisé ne nous prenait pas au sérieux. Ils avaient seulement dit : « Les autorités nous prient d'annoncer la présence supposée d'une bombe, dans le Lower East Side... » La présence *supposée!* Quels menteurs, quels lâches! Rien, pas un mot sur le fait qu'il s'agissait vraiment d'une bombe ATOMIQUE dont on supposait la présence. Les flics avaient été assez intelligents pour garder ça pour eux.

Nous continuâmes d'attendre, notre ultimatum de midi fut dépassé; il était évident que la police essayait de gagner du temps. Alors, cet après-midi-là, comme rien ne se passait, et qu'à la télé on n'avait toujours pas parlé de bombe atomique, Bobby se décida :

— O.K.! puisqu'ils ne veulent rien entendre, puisqu'ils ne veulent pas nous faciliter les choses, on va voir ce qu'on va voir!

186

Il décrocha le téléphone.

— Qui appelles-tu? lui ai-je demandé.

— Les chaînes de télévision et les journaux.

Il commença à faire le numéro mais il y eut un déclic bruyant dans l'appareil; je l'entendis de l'endroit où je me trouvais. et Bobby répondit : « Allô! qui est là? »

C'étaient les flics. Ils s'étaient branchés sur notre ligne pendant la nuit et, si nous voulions parler à quelqu'un, il fallait d'abord leur parler à eux — aux flics.

Bobby était furieux, vraiment enragé. Il raccrocha violemment et dit :

— Les fumiers!

Puis il regarda Stoop, me regarda et dit encore :

— Nous allons passer à la phase deux de l'opération.

La phase deux! On se serait cru à la guerre. Je demandai :

— Phase deux. Qu'est-ce que ça veut dire?

— Ça veut dire que nous allons déménager.

Une idée venue du ciel, comme ça! Ça m'a fichu en rogne, parce qu'en fait il était évident qu'il devait y penser depuis un moment; donc ça n'était pas du tout une idée venue du ciel. Je n'aimais pas qu'il ait des secrets. Il était à moitié dingue, et ses secrets étaient dangereusement inquiétants.

— La bombe! lui ai-je dit comme si je m'adressais à un fou. Tu veux dire que nous déménageons la bombe? ...

— Tout le problème vient de ce que nous sommes enlisés dans un ghetto. Nous n'avons aucun impact sur l'opinion. Il faut donc changer de lieu. Nous allons nous installer à un endroit d'où nous attirerons tous les regards. Nous allons faire la plus grande révolution jamais vue dans l'escalade de la violence depuis que l'homme a commencé à utiliser ses mains nues pour se battre. Nous allons transporter cette bombe dans l'un des endroits les plus peuplés des États-Unis.

— Hé! attends une minute! ai-je dit. Déménager cette bombe est l'idée la plus folle que tu aies jamais eue.

— Quelles autres idées folles ai-je bien pu avoir, Aizy?

Il était trempé de sueur et pas seulement parce qu'il faisait chaud. Il était énervé et avait l'air méchant et en colère, avec cet air de mauvaise foi qu'ont les gens quand on les accuse de quelque chose dont ils se savent coupables mais qu'ils ne veulent pas admettre.

— Moi, je ne veux pas bouger d'ici, c'est tout. Où veux-tu la transporter, d'abord ?

— Nous allons l'emporter à Wall Street, au quartier de la Bourse. Pendant les heures de bureau, la densité de la population y atteint le million de personnes au kilomètre carré. C'est plus qu'à Miami. C'est un quartier tellement peuplé et surpeuplé que, si les gens sortaient tous en même temps de leurs bureaux dans la rue, ils provoqueraient le plus grand embouteillage de tous les temps.

— Écoute un peu, Bobby, laisse-moi...

— Oui, répéta-t-il sans m'entendre, nous allons faire descendre la bombe atomique dans la rue...

— Bobby, je ne veux pas déménager la bombe.

Il fit un pas vers moi.

— Je me fous complètement de ce que tu veux ou non, Aizy. De toute façon, qui a besoin de toi maintenant ?

J'attrapai le déclencheur et le brandis devant moi, comme aurait fait une fille avec une croix, dans un film de Dracula, pour exorciser un vampire.

— Ne fais pas le malin, Bobby.

Il cessa d'avancer et se mit à rire.

— Lâche donc ce truc-là, Aizy, tu ne fais peur à personne.

— Tu as l'air pas mal effrayé, pourtant.

Il me frappa violemment au visage.

— Fais-nous sauter, Aizy ! Appuie sur le bouton et fais-nous tous sauter ! Allez !

Je restai debout sans bouger. Des larmes commencèrent à me couler sur les joues.

— Oh merde ! s'écria Bobby, Maintenant elle va chialer. Qu'est-ce qu'on fout ici, Stoop ? Peux-tu me le dire ? Qu'est-ce qu'on fout ici avec cette femelle qui chiale ?

— Calme-toi, vieux, dit Stoop. Elle ne fera pas de problème. Laisse tomber.

Nous nous assîmes tous les trois, le plus loin possible les uns des autres. Je tenais toujours l'interrupteur dans ma main. Personne ne se parlait. Au bout d'une dizaine de minutes, Stoop a dit :

— Bon, et puis merde, on déménage, hein ! On se tire d'ici !

— Ouais, fit Bobby en prenant une couverture et en l'étalant sur le plancher de la cuisine, près de la bombe. Donne-moi un coup de main, Stoop.

Stoop me regarda. Je n'eus aucune réaction. Ils prirent la bombe et la déposèrent sur la couverture; ils firent un essai pour voir s'ils seraient capables de soulever la bombe dans la couverture :

— Ça va? dit Bobby.

— O.K.! répondit Stoop.

Puis Bobby décrocha le téléphone et appela les flics; il leur dit qu'il avait changé d'avis, qu'il voulait emporter la bombe au Nouveau-Mexique et la faire exploser dans le désert. Vingt minutes plus tard, les flics acceptaient sa proposition.

Bobby me regarda et braqua son revolver sur moi.

— Tu viens, Aizy? Parce que sinon il me faudra t'arracher ce déclencheur des mains. Si tu veux appuyer dessus, tu peux le faire. C'est à toi de décider, maintenant tout ne dépend plus que de toi...

J'étais si furieuse et si effrayée que je ne pouvais même plus parler ni penser.

— Alors, est-ce que tu viens?

Alors, je me suis levée puis je suis sortie de l'appartement, avec Bobby et Stoop derrière moi, portant la bombe dans la couverture. Nous sommes arrivés dans la rue, et Bobby et Stoop ont déposé la bombe à l'arrière d'un fourgon de police, un fourgon bleu et blanc...

CHAPITRE XXXIV

Ransom se demandait quelle serait la meilleure tactique à adopter une fois que le fourgon leur aurait été livré. Car il était certain de cela, on leur donnerait le fourgon. Quand les autorités recevaient un ultimatum, elles choisissaient toujours la solution qui offrait une possibilité de retarder l'affrontement. La raison qui serait invoquée ici serait qu'il y avait dans New York peu d'endroits plus peuplés que celui où la bombe se trouvait actuellement. Les autorités municipales espéraient que le fourgon emporterait la bombe hors de la ville et les autorités de l'État qu'il l'emporterait hors des limites de l'État, au New Jersey, par exemple, qui se trouvait juste en face, de l'autre côté du fleuve.

Seul le F.B.I. voulait que la bombe reste où elle était. Pitt était lancé dans une discussion très dure à ce sujet, et au téléphone le directeur responsable du bureau du F.B.I. de New York essayait de toutes ses forces d'obtenir l'accord de Washington. Mais tous leurs espoirs tombèrent à l'eau. Caroll raccrocha violemment un autre téléphone qu'il fit tomber, par terre, et il hurla à la ronde :

— Ils disent qu'ils veulent transporter la bombe au Nouveau-Mexique pour la faire exploser dans le désert. Ils prendront donc le Holland Tunnel. Même s'ils ne vont que jusqu'à Hoboken, ils tueront beaucoup moins de monde là-bas qu'ici.

Ransom sortit de l'épicerie et regarda ce qui se passait dans la rue tandis qu'on vidait un fourgon de la Brigade d'intervention rapide de tout son contenu : cordes, crics, grappins, filets, tous ces accessoires de secours qui devenaient de plus en plus sophistiqués au fur et à mesure que les New-Yorkais trouvaient des moyens de plus en plus *originaux* de se tuer ou de se blesser.

Le ciel était devenu sombre. De lourds nuages accumulés au-dessus de la ville annonçaient un orage. Quand le fourgon fut prêt après avoir été vidé de tout son contenu, Ransom rejoignit Brech sur la banquette arrière de la voiture de Caroll. Caroll sortit de l'épicerie où il avait donné des ordres à ses hommes pour qu'ils fassent évacuer le Holland Tunnel; puis Caroll monta devant, à côté de son chauffeur. Derrière eux se mit nerveusement en place une colonne de voitures de police et de pompiers qui formaient une chaîne, longue d'une centaine de mètres, de lumières clignotantes rouges et orange. Deux ombres apparurent sous la porte cochère du 181 : French et Stoop, tous deux en jeans et en tee-shirt blanc; ils portaient une vieille couverture grise de l'armée, dont ils tenaient chacun un bout; posé au centre de la couverture, on pouvait voir un objet sphérique et verdâtre d'où pendait un enchevêtrement de fils orange. Derrière eux se trouvait Aizy, le visage fermé, effrayée, jetant de rapides coups d'œil à droite et à gauche, ses deux mains serrant le déclencheur. Ils traversèrent le trottoir et s'arrêtèrent à l'arrière du fourgon dont les portes étaient ouvertes. French et Stoop déposèrent la bombe par terre, puis French sauta à l'intérieur du véhicule. Il se pencha, attrapa un bord de la couverture et, aidé par Stoop, hissa la bombe avec précaution. Aizy monta s'asseoir derrière près de la bombe, et les deux hommes sautèrent du fourgon, dont ils claquèrent les portières avant d'aller s'installer à l'avant.

Le véhicule s'arracha du bord du trottoir où il était garé et remonta lentement la rue jonchée d'ordures.

— Reste à deux longueurs de voiture derrière eux, commanda Caroll à son chauffeur.

Il parlait d'une voix nerveuse, saccadée, penché sur la plage avant de la voiture, ses mains osant à peine toucher la boîte à gants devant lui. Ils traversèrent Norfolk Street. Caroll donna un nouvel ordre à son chauffeur, qu'il répéta plusieurs fois :

— Tourne à gauche, tourne à gauche, tourne à gauche!...

A Essex, ils tournèrent à gauche. Caroll se détentit sur son siège.

— Magnifique! dit-il, maintenant ils vont tourner à droite à Canal Street, rouler tout droit vers le tunnel et entrer dans le New Jersey.

Mais à Canal Street, *ils* ne tournèrent pas à droite, *ils* entrèrent dans Broadway après avoir viré à gauche et continuèrent vers le sud de la ville.

— Merde! dit Caroll. Ils ne savent pas ce qu'ils font ou quoi?

Il prit le micro et donna des ordres à tous les véhicules du convoi pour qu'on fasse évacuer les carrefours tout au long des rues menant vers Brooklyn et le Battery Tunnel.

Soudain, Brech émit une sorte de grognement inquiet. Ransom le regarda. Le visage de l'ingénieur était soudain devenu aussi blanc qu'un cachet d'Aspirine.

— Qu'y a-t-il? demanda Ransom.

— Wall Street, répondit Brech, ils vont droit sur Wall Street. C'est un objectif parfait. J'aurais dû m'en douter. Il y a tellement de cibles possibles pour ces sacrés engins.

— Combien de personnes peuvent-ils tuer, de là-bas? demanda Ransom.

— C'était écrit... oui, c'était écrit noir sur blanc dans un livre que j'ai lu... Wall Street! J'aurais dû y penser. Deux cent mille : il suffit de 1 kilotonne pour ça...

Ransom regardait droit devant lui, silencieux.

— 1 kilotonne, ce n'est rien du tout, reprit Brech; même pour une bombe atomique bricolée, 1 kilotonne c'est le rendement minimal. Ils ne peuvent pas obtenir moins de 1 kilotonne de l'explosion de cette bombe...

Ils dépassèrent City Hall et se dirigèrent vers Broadway à une vitesse prudente de 60 kilomètres à l'heure. A Trinity Church, le fourgon bleu et blanc de la police tourna sur la gauche, roula 100 mètres dans Wall Street, vira à droite dans Broad Street, puis se gara en face d'une station de métro, juste en face de la Bourse.

— Gare-toi ici, dit Caroll.

Le chauffeur s'arrêta à l'intersection de Wall Street et de Broad Street, à 20 mètres de la bombe exactement. Les autres véhicules du convoi s'agglutinèrent autour d'eux, prenant position en haut et en bas de Wall Street, pompiers et policiers mêlés.

— Il faut faire fermer cette station de métro, dit

Brech. S'ils la font exploser ici, les ondes de choc pourront se propager dans le tunnel du métro, et tuer encore plus de monde...

— Faites évacuer la station de métro! ordonna Caroll. Comment diable pouvons-nous tout faire évacuer? Ils peuvent aller où ils veulent, comme ils veulent et autant qu'ils voudront, aussi longtemps qu'ils transporteront cette maudite bombe avec eux.

Puis il se tourna vers Ransom.

— Vous avez une idée, Ransom?

— Pas encore, inspecteur.

Mais le moment était venu, Ransom le savait depuis qu'ils avaient traversé Broadway.

— Je vais leur parler, dit-il soudain et, avant que Caroll ait pu répondre, il était déjà hors de la voiture. Il traversa la rue dont le soleil chauffait l'asphalte au point de le rendre mou. Puis il se dirigea — seul — vers le fourgon immobilisé...

CHAPITRE XXXV

J'étais assise à l'arrière du fourgon avec la bombe; Stoop et Bobby étaient à l'avant, ils parlaient. Bobby conduisait. J'entendis Stoop lui dire :

— Oublie le plutonium, vieux, et demande-leur du fric. S'ils te donnent du fric, tu pourras acheter tout le plutonium que tu voudras.

— Stoop, il est impossible d'*acheter* du plutonium, lui répondit Bobby d'un ton à la fois peiné et plein d'exaspération, comme s'il parlait à un jeune handicapé mental. Arrête de parler tout le temps d'argent. Quand ce sera fini, tu auras tout l'argent de la terre.

— Quand ce sera fini, mon pote, je serai mort.

Bobby se mit à nouveau en colère.

— Écoute, Stoop, si tu veux sortir du coup maintenant, j'arrête ce fourgon et tu peux te tirer. O.K.? Les choses ne se passeront pas comme tu le veux, ni comme Aizy le veut, ou comme qui que ce soit d'autre le voudrait, mais seulement comme *moi* je le veux. Parce que j'ai raison et que nous ferons ce que moi je veux. C'est la seule façon pour que ça marche.

— O.K.! grand homme! a dit Stoop.

Mais il avait dit ça sans en penser un mot, parce qu'on sentait qu'il n'était plus dans le coup et qu'il attendait la première occasion pour *prendre le vent*, si vous voyez ce que je veux dire...

Puis nous sommes arrivés à la Bourse; nous nous sommes garés et Bobby a demandé à Stoop de descendre et d'aller dire aux flics qu'ils avaient une heure pour s'amener avec le plutonium *plus* les promesses d'impunité judiciaire, *plus* la garantie de liberté sous caution de Stoop et *plus* notre sauf-conduit. Ça faisait beaucoup de *plus*...

— Sauf-conduit pour où ça? demanda Stoop.

— Écoute, vieux frère, ne recommence pas. Arrête de grogner et fais ce que je te dis.

— Fais-le toi-même, grand homme! Et ne m'appelle plus ton « frère »; mon père n'est pas juge, moi. Je ne suis pas ton frère, moi. Et je ne veux plus rien savoir de toi, compris! Toi qui es si foutrement intelligent, va donc leur dire toi-même, va te faire trouer le cul toi-même. Moi, je ne bouge pas d'ici, vu?

— Stoop!

— Je reste ici, ouais, c'est comme je le dis!

Bobby lui lança des injures et ouvrit la portière. Je l'entendis descendre du fourgon.

CHAPITRE XXXVI

Debout, là sur l'asphalte, au milieu de la rue, Ransom ne ressemblait pas beaucoup à un flic et lui-même n'avait pas l'impression d'en être un. Il n'était qu'un homme mince aux membres longs, avec un visage amical très brun, plein de petites rides de gaieté autour des yeux, et il allait d'un pas tranquille bavarder avec ces jeunes gens qui étaient là-bas, dans le fourgon. Il ne savait pas encore ce qu'il allait dire ou faire, mais il saisirait toute occasion favorable qui se présenterait. Ce n'était pas la seule manière d'agir qu'il connaissait, mais c'était la plus douce, la plus facile et la meilleure. Et il n'y en avait qu'une autre.

Ransom ne se trouvait plus qu'à 6 mètres de l'avant du fourgon quand la portière de celui-ci s'ouvrit; un jeune Noir en sortit. Le visage de cet homme s'inscrivit dans l'esprit de Ransom, se juxtaposa à une photo d'étudiant, et immédiatement tous les renseignements disparates du dossier de Princeton se cristallisèrent dans son esprit pour devenir ce grand et beau fils de juge qui semblait actuellement si étonné de voir s'approcher de lui un grand flic souriant qui lui dit très chaleureusement :

— Vous devez être Bobby French.

La caractéristique dominante de la voix de Ransom à ce moment-là, c'était son manque total d'hostilité. French se figea. Ransom continua de marcher, de sourire et de parler. Il venait d'apercevoir la forme d'un revolver dans la poche avant gauche du jeans de French, mais il s'obligea à ne jamais porter son regard en direction de cette arme. Ransom se trouvait à environ 1,50 m de French quand celui-ci lui dit : « Arrêtez! » et glissa la main dans sa poche.

Ransom s'arrêta, ses yeux firent semblant de ne rien voir d'autre que le visage de French, et de le trouver sympathique. French sortit le revolver de sa poche. Rien qu'en voyant le reflet du nickel et l'ombre de l'arme projetée sur l'asphalte, Ransom devina qu'il s'agissait d'un automatique de petit calibre. Mais, à cette distance, c'est-à-dire à 1,50 m, ce petit calibre pouvait très bien le transformer en flic mort.

— J'ai un message pour vous d'une fille qui vous aime, dit alors Ransom.

Une minute plus tôt, ces mots ne lui étaient pas venus à l'esprit. Il n'avait jamais rien dit de pareil auparavant. Ces mots inattendus étaient simplement parvenus à son cerveau parce qu'ils lui paraissaient susceptibles de chasser toute agressivité capable de surgir derrière le regard terrifié de French. Ransom avait donc dit ces mots inattendus, et il n'aurait pas dû les dire...

Ransom vit alors le canon du revolver se lever lentement, puis il entendit la détonation d'une balle explosive — un grand bruit — et il cligna instinctivement des yeux tandis qu'un liquide chaud lui éclaboussait le visage. French tomba sur l'asphalte, sa tête éclatée gisant à quelque 20 centimètres des pieds de Ransom. Celui-ci essuya les éclaboussures du sang de French sur son front. Il était penché sur le corps inanimé du jeune Noir quand le fourgon démarra sur les chapeaux de roue en remontant toute la rue. Ransom courut alors vers la voiture de Caroll, sauta à l'arrière, et ils prirent en chasse le fourgon, suivis par les véhicules aux lumières clignotantes rouges et orange des forces de police et des pompiers.

CHAPITRE XXXVII

Je n'avais pas vu Bobby descendre du fourgon, mais je l'avais entendu. J'entendis des voix au dehors, puis une explosion, et Stoop qui dit : « Oh! merde! » Alors Stoop sauta sur le volant et le fourgon fit un bond en avant. Je tombai et, quand je me relevai, je vis par la vitre arrière Bobby étendu sur l'asphalte et un homme qui s'éloignait de lui en courant vers les voitures de police.

Je hurlai à Stoop :

— Stoop, ils ont tiré sur Bobby!

Stoop tourna brutalement au coin de la rue. Je criai de nouveau :

— Stoop, ils ont tiré sur Bobby!

Il ne me répondit pas. Nous roulions vraiment vite et j'étais ballottée à l'arrière du fourgon. C'est alors que la bombe se mit à rouler hors de la couverture. Je me suis arc-boutée en posant mes deux pieds dessus, afin de nous maintenir immobiles toutes les deux, elle et moi, autant que je le pus malgré les cahotements du fourgon. Je hurlai :

— Stoop, où vas-tu? Ralentis!

Nous prîmes encore d'autres virages très brutalement et puis, en regardant à travers la vitre arrière, je vis que nous étions sur l'East Side Drive.

Je rampai jusqu'à l'avant et regardai par-dessus l'épaule de Stoop.

— Stoop, crois-tu que Bobby soit mort?

— Merde, comment je peux le savoir, moi?

Puis je regardai l'aiguille du compteur : nous faisions du 120 kilomètres à l'heure. Je vis des lumières de police plus loin devant nous, et Stoop hurla : « Tiens-toi bien! » et prit un virage à toute allure. La bombe roula de nouveau et je dus la maintenir des deux mains. Je sentis que nous prenions un virage à droite, les freins crièrent, il y eut une grande secousse puis nous nous arrêtâmes. Stoop sauta de son siège, ouvrit violemment la porte arrière et, d'un bond, vint me rejoindre. Il attrapa un bout de la couverture et, me montrant l'autre bout, me dit :

— Attrape ça !

Ainsi, tous les deux, nous avons traîné la bombe hors du fourgon. Quand je retrouvai mes esprits, je vis que nous étions juste en face du siège de l'O.N.U. et que deux voitures de police s'étaient déjà arrêtées de l'autre côté de la rue. Tout d'abord, je ne vis aucun flic. Je me souviens avoir pensé : « Où sont passés les flics ? » Puis j'entendis un coup de feu, et je compris qu'ils étaient planqués derrière leurs bagnoles et nous tiraient dessus.

Nous étions avec la bombe au milieu de la rue quand un de ces flics est sorti de derrière une voiture et s'est avancé vers nous. Il donnait l'impression de n'avoir aucune conscience du risque qu'il prenait, alors qu'il ne pouvait pas ne pas savoir que Stoop était armé. Complètement dingue, ce flic ! Il n'était plus qu'à quelques mètres de nous et je pensai : « Si jamais il tire et qu'il touche la bombe... »

J'ai hurlé :

— Stoop, il va tirer !

Mais Stoop avait déjà sorti son revolver. Le flic a tiré le premier, puis Stoop a fait feu à son tour et l'autre s'est écroulé au milieu de cette rue. Je le regardais, son sang coulait dans le caniveau, et j'étais comme paralysée. Stoop a attrapé un coin de la couverture où était toujours posée la bombe puis il m'a hurlé quelque chose ; j'ai pris l'autre coin de la couverture, et nous l'avons transportée à l'intérieur d'un immeuble jusqu'à un ascenseur. Quand nous sommes arrivés au quatrième étage, Stoop a traîné la bombe jusqu'à une porte dont il a forcé la serrure je ne sais plus comment... C'est comme ça que nous sommes arrivés jusqu'ici dans cet appartement.

Nous avons posé la bombe sur le lit, puis, quand Stoop s'est redressé, j'ai vu une grande tache rouge sur son jeans, juste sous la ceinture :

— Stoop, tu saignes !...

Il a regardé son jeans et il a dit :

— Merde !

Je pense qu'il ne s'est même pas rendu compte qu'il était blessé jusqu'à ce que je le lui fasse remarquer. Il a ôté son jeans, tout son slip était maculé de sang. Une fois déshabillé, je l'ai fait s'allonger sur l'autre lit et j'ai nettoyé le sang de sa blessure — une balle dans le ventre. Alors, j'ai déchiré un drap et je lui ai fait un pansement de fortune. Après, j'ai éteint la lumière et je l'ai supplié de bouger le moins possible. Puis je me suis promenée dans le noir à travers les pièces de cet appartement, avec l'espoir de trouver des médicaments pour Stoop.

Je suis allée dans le salon, en prenant le déclencheur de la bombe avec moi, et c'est à ce moment-là que le souvenir de Bobby m'est revenu à l'esprit. J'avais complètement oublié Bobby. J'eus l'impression que j'allais m'évanouir, et je me suis assise sur la moquette. Ils l'avaient assassiné, les flics avaient assassiné Bobby. J'avais peur mais en même temps j'étais folle de rage, je me sentais malade et je ne savais plus ce que je faisais ni ce qu'il fallait faire.

CHAPITRE XXXVIII

Ransom sauta à l'arrière de la voiture de Caroll et, avant même que la portière en fût refermée, le chauffeur avait déjà tourné au coin d'Exchange Place et fonçait en direction du fleuve, prenant en chasse le fourgon.

— Bon dieu, qui a tiré sur lui? hurla Ransom pour couvrir le bruit des pneus qui crissaient sur l'asphalte fondu.

Caroll n'entendit pas cette question; Ransom lui trouva une sale tête et remarqua que l'inspecteur-chef était passablement effrayé par les récents événements; puis Caroll se cramponna à l'accoudoir de la portière avant pour ne pas être déporté dans un brusque virage de la voiture. Ransom attendit qu'ils fussent sur la voie express, filant derrière trois autres voitures radio pour hurler de nouveau :

— Qui a tiré sur lui, bon dieu?

— Je ne sais pas, dit Caroll, est-il mort d'ailleurs?

— On ne peut plus mort. C'était vraiment la connerie à ne pas faire.

Caroll fit semblant de n'avoir pas entendu cette remarque pleine d'irrespect pour l'autorité que lui conférait son grade; ses yeux exorbités ne quittaient pas les trois voitures de police devant eux :

— Ne roule pas si vite! dit-il à son chauffeur.

Quand ils arrivèrent sur la place des Nations Unies, ils eurent le temps d'apercevoir le corps du policier tué par Stoop, que des pompiers hissaient sur une civière à l'arrière d'une ambulance de Police secours. Bientôt, les autres voitures de police freinèrent toutes l'une après l'autre derrière la voiture de l'inspecteur-chef, dans de grands crissements de pneus qui laissèrent des traînées noires sur l'asphalte.

Bouleversé, le coéquipier du policier qui venait d'être abattu était assis sur le pare-chocs de son véhicule, regardant avec des yeux vides le cadavre de son collègue que les pompiers hissaient à l'intérieur de l'ambulance. En passant devant lui, Caroll lui dit doucement :

— Accompagne-le, Johnny...

Le policier monta à son tour dans l'ambulance. Caroll se tourna vers Ransom, l'air agressif :

— Alors, capitaine, dit-il en désignant le policier abattu gisant aux pieds de son collègue dans l'ambulance, pourquoi ne me demandez-vous pas qui a tiré sur lui, bon dieu ?...

Ransom, à cet instant, aurait volontiers décoché un coup de poing à l'inspecteur-chef, mais il s'obligea à rester calme et répondit d'une voix neutre :

— Je sais qui a tiré sur lui, monsieur l'inspecteur-chef...

Il s'éloigna de Caroll et des autres policiers attroupés autour de ce dernier, traversa la place et regarda la façade de l'immeuble où s'étaient retranchés les deux jeunes gens. Puis il se retourna : en haut du siège de l'O.N.U., les drapeaux des cent trente-huit États membres des Nations Unies se balançaient mollement sur leurs hampes comme des ailes d'oiseaux fatigués. De lourds nuages assombrissaient le ciel et installaient un crépuscule triste et prématuré autour des voitures de la police et des camions de pompiers qui arrivaient en grand nombre.

Des voitures de Police secours s'arrêtèrent, des policiers armés jusqu'aux dents prirent position, on déroula les lances d'incendie, on alluma les projecteurs et il régna bientôt dans tout le quartier cette atmosphère de guerre civile que Ransom avait si souvent connue depuis le début des années 60. Brech traversa la rue et rejoignit Ransom :

— Tout ça me fiche une de ces trouilles ! dit-il.

— A moi aussi, ça fiche la trouille, monsieur Brech. Mais eux deux, là-haut, ils ont encore plus la trouille que nous.

Caroll s'approcha d'eux et dit quelque chose à Ransom, qui ne répondit pas. Les forces de l'ordre avaient maintenant évacué la moitié du Lower East Side. Des policiers couraient dans tous les sens, commandés par Caroll qui voulait

202

qu'ils fassent aussi évacuer tous les habitants de la zone située entre la 5e avenue, le fleuve et Queens. C'est donc ici que tout cela allait se terminer. Maintenant ils devaient les tuer, elle et lui, sinon Stoop et elle allaient tuer la moitié des habitants de la ville. Ransom pensa aussi qu'il aurait peut-être dû leur donner l'assaut, tout à l'heure, et les neutraliser tous les trois. Il aurait pu ainsi sauver la vie du flic et aussi celle de French. Un fils de juge, quelle merde! Quel gâchis! Oui, mais à ce moment-là elle aurait pu appuyer sur le bouton. Peut-être? Oui, mais... Et alors? Qui pouvait savoir si elle en aurait été capable?...

Ransom décida que le moment était venu d'aller parlementer avec eux.

CHAPITRE XXXIX

Donc je m'étais assise sur la moquette, tremblante, me sentant malheureuse et haïssant les flics, tous les flics. J'étais à bout. Pourquoi m'étais-je fourrée dans un pareil merdier? Qu'est-ce que je foutais là, dans cet appartement? Reprends-toi! C'est alors que je suis entrée dans la salle de bains. Puis j'ai fait le tour de cet appartement. Enfin, en désespoir de cause, je me suis assise par terre dans la chambre, avec Stoop et la bombe.

Posée sur le lit, la bombe me fit penser au tout dernier gadget électroménager, à la toute dernière invention à la mode. Oh non! Il n'y a pas de *dernière* invention, jamais. Aucune invention n'est jamais la dernière. (Ma pensée s'embrouillait, je perdais la raison.) Oui, pensai-je, bientôt on inventera le bébé-éprouvette : le *clone*, comme ils disent. Et ils inventeront aussi des embryons d'A.D.N. en capsules surgelées. On fera naître les bébés par réfrigé-ration. Quels marchands du Temple achèteront les brevets de ces inventions, l'U.R.S.S. ou les États-Unis? Et quand les physiciens auront percé le secret des « trous noirs » interstellaires, l'Apocalypse sera-t-elle pour demain, après-demain, quand au juste? Tout me prouvait de façon absolue que nous étions condamnés au Néant...

Oui, mes pensées partaient à la dérive. Donc je me suis donné l'ordre d'arrêter de penser. J'étais assise là, entre les deux lits, dans la chambre, par terre, ma tête entre les mains. Stoop a fini par s'endormir. Puis, quelque part en moi, mes pensées se sont remises en marche. Je ne pensais plus qu'à Bobby. Ils l'avaient donc assassiné, froidement, gratuitement assassiné, car il n'avait rien fait de mal, rien en tout cas qui puisse justifier sa mort. Pourquoi avaient-ils fait ça?

Je me sentais si seule.

Après avoir pensé à tout cela qui n'avait aucun sens, je suis entrée dans le living et j'ai mis le magnétophone en marche. Pendant que je parlais dans le micro, Stoop est arrivé dans la pièce, avec ce drap plein de sang enroulé autour de ses hanches, tout excité par les comprimés de Benzédrine qu'il venait sans doute d'avaler. Il s'est assis en me disant que les flics allaient bientôt donner l'assaut et nous assassiner de sang-froid, exactement comme ils l'avaient fait avec Bobby. Il a allumé le poste de télévision. C'était juste l'heure des informations. Le présentateur parlait bien de nous, des « terroristes à la bombe », mais de toute évidence il ignorait que notre bombe était une bombe ATOMIQUE.

Stoop peu à peu parut se calmer — peut-être n'avait-il pris que du Séconal — et sombrer dans une demi-somnolence. Quand les actualités furent terminées, je baissai le son de la télé et je me remis à enregistrer, comme si le fait de parler me permettait de dominer encore un peu tous ces événements, comme si le pouvoir de la parole m'empêchait de devenir complètement folle ou complètement désespérée.

Au bout de quelques minutes, Stoop a rouvert les yeux. D'une main il tenait un bout du drap dont il s'était enveloppé, de l'autre son revolver. Il avait un drôle de regard, un regard de drogué. C'est alors qu'il m'a demandé, en souriant sans me voir :

— Toujours rien à la télé?

— Rien.

— Qu'est-ce que tu vas leur dire?

— Aux flics?

— Ouais, aux flics. Qu'est-ce que tu vas leur dire s'ils nous laissent une chance de parler?...

— Je vais leur dire qu'ils auront tout ce qu'ils veulent s'ils me promettent de faire tester la bombe et de faire publier les résultats de ce test dans la presse.

— Comment sauras-tu qu'ils auront vraiment testé la bombe?

— Ils devront s'y engager en présence des journalistes et accepter de laisser les journalistes assister au test. Et ils devront me laisser dire à la presse comment la bombe a été fabriquée, tout ce que je sais là-dessus, et aussi comment nous nous sommes procuré le plutonium. Les journalistes pourront vérifier par eux-mêmes que le plutonium a bien été volé à l'aéroport Kennedy, afin d'être sûrs que je n'ai pas menti.

Stoop continuait à sourire dans le vague, mais je vis sa main se resserrer sur la crosse de son revolver comme s'il voulait être sûr qu'il était toujours là, sur ses genoux.

— Tu ne leur demanderas pas d'argent?

— Non.

— Tu ne leur demanderas pas non plus la garantie officielle de ma liberté sous caution?

— Non, Stoop.

Il braqua le canon de son revolver sur moi.

— Ce n'est pas gentil pour Stoop, ce que tu dis là... C'est très mauvais pour toi, bébé...

— Je viens de te dire ce que moi je leur demanderai, Stoop. Mais rien ne t'empêche de leur demander du fric, même si moi le fric je m'en fous.

— On verra ça, dit-il, et il reposa son revolver sur ses genoux. Mais il ne ferma pas les yeux.

Cela m'effrayait de le voir assis juste en face de moi, tandis qu'il me fixait d'un sourire agressif. Mais je me suis dit : « Et puis merde! Arrivera ce qui doit arriver... » Puis j'ai remis le magnétophone en marche. Au moment où j'allais recommencer à parler dans le micro, quelqu'un a sonné à la porte. Cette sonnerie nous a fichu un sacré choc, à Stoop et à moi.

Les yeux de Stoop regardèrent en direction de la porte; il ne souriait plus. Il lâcha le bout du drap et prit son revolver des deux mains, prêt à tirer. D'un signe de tête, il me fit comprendre d'aller ouvrir la porte.

Je tenais le déclencheur de la bombe dans ma main, sachant que, si je le lâchais, Stoop pourrait en profiter pour me tirer dessus. Le fil de l'interrupteur n'était pas assez long pour que je puisse aller jusqu'à la porte et l'ouvrir. Stoop pointa son arme de nouveau sur moi, et je sentais bien qu'il n'aurait pas hésité à me tuer pour s'emparer de la bombe. Les flics devaient être derrière cette porte, armés, prêts à me tirer dessus si j'allais ouvrir... Oui, ils allaient sûrement me tuer comme ils avaient tué Bobby... La seule arme dont je disposais pour rester en vie, c'était ce déclencheur, alors j'allais m'y accrocher et ne pas le lâcher. C'était mon unique sauvegarde.

Stoop agita son revolver en direction de la porte. Je ne bougeai pas.

Puis la sonnerie tinta de nouveau et Stoop me dit, en pointant son revolver sur moi :

— Va ouvrir cette putain de porte, Aizy, ou je te fais sauter ta sale petite gueule!

Je crois bien qu'il l'aurait fait, excité comme il l'était avec la Benzédrine ou le Séconal, ou peut-être les deux... Et comme il devait se douter qu'il allait mourir, à force de perdre tout son sang, je me suis dit qu'il allait finir par me tirer dessus, n'ayant plus rien à perdre... Ouvrir la porte...

Je me suis dirigée vers la porte en gardant le déclencheur avec moi. Il me manquait 1,50 m de fil. J'ai posé le déclencheur par terre et j'ai regardé Stoop. S'il essayait de l'atteindre, je me dis que j'aurais le temps de revenir le prendre avant même qu'il n'ait bougé de sa chaise. Je marchai vers la porte tout en regardant Stoop. Mon cœur battait. Tout en avançant, je pensais : « Aizy, il y a quelqu'un derrière cette porte. Alors ouvre-la, cette porte, Aizy. Tu n'as plus rien à perdre. »

Je l'ouvris sans détacher la chaîne de sécurité. Il y avait un type, un bel homme, et je le reconnus à ses vêtements : c'était lui qui se trouvait près du corps de Bobby quand ils l'avaient descendu, lui qui avait couru en direction de cette voiture noire...

— Je m'appelle Ransom, dit-il comme s'il était un voisin venu pour m'emprunter du lait ou quelque chose comme ça.

A le voir et à l'entendre, on n'aurait jamais pu penser que c'était un flic ni que la situation était grave. Il ouvrit ses mains devant moi puis releva le bas de son pantalon pour bien me faire voir qu'il n'était pas armé.

— Je ne suis pas armé, ajouta-t-il, je suis seulement venu parler avec vous... vous écouter...

J'étais trop surprise pour pouvoir dire un mot. C'était nettement mieux que ce à quoi je m'attendais, car je m'attendais à voir surgir une foule de flics qui auraient déboulé dans l'appartement en faisant feu sur nous.

— Nous ne risquons rien à parler ensemble. Nous risquons seulement de sauver des vies humaines...

Je détachai la chaîne de sécurité, fis un bond en arrière et repris le déclencheur. Il entra dans l'appartement en gardant ses mains grandes ouvertes devant lui :

— Je m'appelle Harry Ransom. Je pense que vous êtes...

C'est tout ce qu'il eut le temps de dire, car Stoop hurla :

— Un instant, fils de pute!

Il avait braqué son revolver sur nous. Ransom refit son numéro, ouvrit ses mains, souleva sa chemise et ses revers de pantalon devant Stoop.

— Je suis ici pour parler avec vous et écouter ce que vous avez à me dire. Nous ne voulons plus d'autres morts...

A ce moment-là, quelque chose se produisit sans sa voix, un certain changement de ton qui, de pacifique, devint menaçant et qui s'adressait à Stoop.

— ... du moins si nous pouvons éviter de nous tirer dessus...

Stoop lui indiqua d'un geste de son revolver une chaise où s'asseoir.

— Assieds-toi là, flic!

Ransom s'assit face à Stoop. Il croisa les jambes, posa ses mains bien en évidence sur ses genoux et resta assis là bien tranquillement, tout à fait calme, attendant poliment que l'un d'entre nous engage la conversation. Plus il restait assis là, plus il ressemblait décidément à un voisin venu emprunter du lait.

— Qu'est-ce qui est arrivé à Bobby? demandai-je.

— Il est à l'hôpital. Dès que nous saurons quelque chose, je vous le ferai savoir. Ça ne sert à rien, je sais, de dire que ce fut une tragique erreur, ou que je suis désolé. Mais je suis sincèrement *désolé*.

— Désolé! ai-je hurlé. Pourquoi ont-ils tiré sur lui? Il ne menaçait personne.

— Je l'ai dit, ce fut une erreur. Quelqu'un a cru qu'il allait tirer sur moi; il avait un revolver et, quand il l'a pointé sur moi, quelqu'un a pensé que si on ne l'arrêtait pas il allait m'abattre. Je ne pense pas que votre ami aurait tiré sur moi. Et je puis vous assurer que si j'en avais eu l'occasion, j'aurais arrêté le flic qui a tiré sur lui. De toute façon, ce flic sera puni.

— Oh! merde! cria Stoop. Je ne veux plus entendre cette merde! Fais croire ça à la môme si tu veux, mais pas à moi. Tu me rends malade et je le suis assez comme ça.

— Le policier que tu as assassiné n'est plus malade, lui, répondit Ransom d'un ton glacé.

— Et alors! rétorqua Stoop en haussant les épaules et en agitant son revolver.

Ransom me regarda :

— Que voulez-vous?

— Bobby est mort, n'est-ce pas?

— Je vous ai dit qu'il était à l'hôpital. Quand j'en saurai plus sur son état, je vous le dirai.

— Tu vas pas croire cette merde, Aizy, quand même!

Non, je n'y croyais pas. J'aurais voulu, mais je n'y croyais pas. Ça me rendait folle de voir ce type essayer de m'embobiner; je le trouvais trop sympa. Il croyait qu'il allait pouvoir m'endormir avec ses belles paroles parce que j'étais une conne de petite étudiante qui ne savait rien de la vie, et une fille, en plus...

— Que voulez-vous? répéta Ransom.

— Du plutonium, dis-je. Je veux 7 kilos de plutonium, la garantie que le gouvernement testera la bombe, je veux aussi l'amnistie de nos délits, un sauf-conduit et la liberté sous caution pour Stoop, c'est-à-dire exactement les mêmes choses qu'avant. Qu'est-ce qui vous fait croire que nos conditions aient changé? Le fait que vous ayez assassiné l'un des nôtres ne signifie pas que nous voulons moins de choses qu'auparavant. Nous devrions en vouloir plus, au contraire.

— Ouais, nous voulons plus, intervint Stoop. Nous voulons 1 million de dollars, en plus...

— Autre chose, ajoutai-je, je veux aussi que les présentateurs des informations télévisées annoncent publiquement que nous sommes en possession d'une bombe ATOMIQUE. Les gens doivent savoir, l'opinion doit savoir. La moitié de la ville va sauter. Ils doivent savoir ça. Il faut qu'ils sachent que deux illuminés et un petit truand sont parvenus à fabriquer une bombe ATOMIQUE. Est-ce bien compris?

Ransom fit oui de la tête. Puis il se leva, lentement, sans faire aucun geste brusque, et déclara :

— Eh bien, je vais voir ce que je peux faire...

Il marcha à reculons vers la porte, lentement, très lentement, et sortit de l'appartement. Je refermai la porte à clef derrière lui et rattachai la chaîne de sécurité.

Je ne m'attendais pas à ce qu'il nous quitte aussi rapidement.

CHAPITRE XL

En sortant de l'appartement, Ransom vit Caroll et deux autres policiers au bout du couloir, près de l'ascenseur.

— Qu'est-ce qu'ils veulent? chuchota Caroll.

— Rentrez dans l'ascenseur, inspecteur.

Ils le suivirent dans l'ascenseur et, en descendant, Ransom dit :

— Je pense que nous faisons bien de redescendre par l'ascenseur, inspecteur. Ils sont très susceptibles, là-dedans, et, si jamais ils s'imaginent que nous les serrons de près, ça pourrait leur donner des idées stupides.

— O.K.! répliqua Caroll, nous resterons donc en bas. Qu'est-ce qu'ils veulent?

L'ascenseur s'ouvrit, ils sortirent dans le hall du rez-de-chaussée. Parmi la foule des policiers, Ransom remarqua des têtes nouvelles, de hauts fonctionnaires du F.B.I. et des services de sécurité fédéraux, de ces types du genre technocrates tirés à quatre épingles, à l'allure méprisante, que Washington catapultait de leurs bureaux chaque fois qu'un *point chaud* s'allumait dans le pays.

Ces grosses huiles entourèrent bientôt le capitaine Ransom, accourant aux nouvelles. L'inspecteur-chef Caroll dut faire les présentations : service de sécurité du département d'État, service de sécurité de l'O.N.U., etc. Quelqu'un dit :

— Par ici, messieurs.

Ils franchirent une porte qui donnait dans un studio.

— Alors? demanda Caroll.

— Mêmes conditions que précédemment plus 1 million de dollars. Ça, c'est une idée de Stoop. Je pense que si...

— Quelles sont leurs conditions? demanda une des huiles du service de sécurité de l'O.N.U.

Ils étaient tous autour de Ransom, maintenant, agglutinés comme des mouches. Les différents services de sécurité formaient des groupes indépendants et rivaux feignant de s'ignorer, chacun dépendant de l'une ou l'autre des diverses bureaucraties de Washington.

— Stoop porte un pansement autour de la taille, continua Ransom. Il est sérieusement touché et à moitié dans les vaps; bien sûr, il est armé, mais je pense...

— Quel calibre? demanda Caroll.

— Un P. 38. Là où j'étais assis, je me trouvais à environ 6,50 m de lui. Si je suis assez rapide, il faudra qu'il ait de la chance, beaucoup de chance...

L'un des hommes déclara :

— Si nous envoyons des journalistes là-haut et que nous les laissons leur dire que nous acceptons que la bombe soit testée, nous courons un grand risque politique : car si leur bombe explose vraiment...

Un autre technocrate le coupa :

— La situation se présente comme suit, messieurs : deux petits merdeux d'étudiants sont parvenus à réaliser une bombe atomique aussi puissante que celle d'Hiroshima. Si l'opinion en est informée, nous courons à la catastrophe. Chaque bricoleur un peu dingue dans ce pays, chaque marginal, chaque révolutionnaire blanc ou noir va se mettre à faire sa propre bombe. Et nous serons contraints d'engager des sommes fabuleuses pour protéger nos usines de fabrication de plutonium. Le Congrès nous obligera à construire des trains blindés, des avions blindés, nous devrons payer des escortes armées, ça va nous coûter des milliards, et le pays va se ruiner dans l'affaire...

— C'est hors de question, trop coûteux en effet...

— Alors, quelle est l'alternative?

— S'interposer entre la fille et la bombe; lui arracher cette sacrée bombe des mains, et vite, messieurs...

— Vous avez des idées sur la méthode à employer?

Deux des hauts fonctionnaires commencèrent à se quereller, deux autres s'éloignèrent du groupe pour s'entretenir à l'écart. Ransom entendit le mot « ambassadeur » et puis l'un de ces beaux technocrates, un jeune homme roux bien propre qui portait un blazer bleu, sortit du studio.

Ransom s'assit; quelqu'un fit entrer Dusko. Il annonça

que son patron, le procureur, était en route; il arrivait de Long Island.

— On ne peut pas attendre, déclara Caroll en engageant avec l'un de ces messieurs une discussion que Ransom ne put entendre.

Ransom pensait à Aizy et à Stoop. Il essayait d'évaluer ses chances de pouvoir s'introduire armé dans l'appartement, réfléchissant à la détermination feinte ou réelle d'Aizy, à son degré d'énervement, envisageant le pire (que, de guerre lasse, elle finisse par faire exploser la bombe en appuyant sur le bouton du déclencheur) ou le meilleur (qu'elle se rende). Quant à Stoop, eh bien, Stoop...

— A-t-on réussi à joindre les parents de la fille? s'enquit Caroll.

— Le commissariat de Cleveland a envoyé deux hommes chez sa mère. La maison est fermée. Ils n'ont pu parler qu'aux voisins.

— Beau travail! s'exclama Ransom. Ce sont des rapides, à Cleveland. Dis-leur qu'ils prennent tout leur temps, surtout, y a pas le feu, n'est-ce pas...

Ransom était de plus en plus excédé par tous ces caquetages.

— Le commissariat de Detroit vient de nous annoncer que le père de French est mort il y a trois semaines, d'un cancer du poumon.

Ransom réfléchit pendant un moment, puis il dit :

— Je me demande si elle est au courant de cela...

Caroll haussa les épaules.

— Vous avez une idée, capitaine? demanda quelqu'un.

— Peut-être. Écoutez. Ils ont branché la télévision et le commentaire des événements les rend un peu fous. Si on pouvait obtenir des gens de la télé qu'ils disent qu'il s'agit d'une bombe atomique, ça pourrait arranger les choses, les calmer un peu et leur donner l'impression qu'ils sont en train d'accomplir quelque chose.

— Obtenir qu'ils disent cela! s'exclama Caroll. Nous faisons tout pour cacher la vérité aux journalistes. Nous leur avons fait croire qu'il ne s'agit que d'une bombe banale. Nous avons dit que nous évacuions seulement quelques bâtiments. S'ils savaient qu'il s'agit d'une bombe atomique, songez aux conséquences, capitaine...

— Eh bien, ça calmerait bien des choses là-haut s'ils entendaient des nouvelles disant la vérité. Cette fille veut qu'on parle d'elle, de son exploit, et elle est capable de faire exploser cette putain de bombe rien que pour se faire de la publicité. Y avez-vous pensé, inspecteur?

— Faisons ceci, dit Dusko. Dites-leur que, s'ils se rendent maintenant, le procureur fera tout pour alléger leur condamnation. Ils ont tué un flic, que veulent-ils de plus? Stoop sait très bien que de toute façon son cas est mauvais, depuis qu'il a tué un flic. Dites-leur donc que le Parquet tiendra compte de leur « coopération ». Ça les calmera en attendant...

CHAPITRE XLI

Je retournai m'asseoir sur le sofa sans lâcher le déclencheur que je tenais toujours à la main. Je regardai Stoop. Il avait gardé la même expression qu'avant la visite de Ransom, souriant d'un air absent, le regard vide, et son revolver posé sur ses genoux.

— Tu deviens un peu plus exigeante, me dit-il. C'est bien, chérie.

— Il m'a poussé à bout, ce flic.

Stoop ferma les yeux.

— Pourquoi lui as-tu demandé 1 million de dollars? Ils ne te donneront jamais ça.

— Ils ne nous donneront jamais rien, chérie. Ils s'amusent avec nous, c'est tout. On va crever ici, tous les deux, toi et moi.

Il rouvrit les yeux :

— Qu'est-ce que tu dirais d'une petite fornication d'adieu, un coup vite fait tiré là-bas, dans la chambre... Tu garderas le déclencheur dans ta main et quand je jouirai, tu appuieras et boum!

— Quand *tu* jouiras!

— Ben quoi! toi tu ne jouiras pas, tu n'as jamais joui de ta vie!

Il m'avait dit cela pour me faire du mal, et c'était réussi.

— Pourquoi crois-tu que je n'ai jamais joui?

— Si tu baisais et jouissais plus souvent, tu ne serais pas en train de faire des bombes.

— Tu as vraiment un sens freudien des choses, Stoop. Tu devrais étudier la psychiatrie et renoncer à la délinquance. Tu as tout ce qu'il faut pour devenir sexologue.

— Sexo... quoi? rugit-il puis il referma les yeux.

Il paraissait endormi mais sa main tenait toujours le revolver posé sur ses genoux. Je me remis à enregistrer. Environ une demi-heure plus tard, on sonnait de nouveau à la porte. C'était Ransom et, comme je ne voulais pas prendre le risque d'ouvrir la porte cette fois-ci — car Ransom aurait pu en profiter pour sauter sur le déclencheur que j'aurai dû poser par terre, comme il savait que je l'avais fait tout à l'heure —, j'ai demandé à Stoop d'y aller. Stoop se leva, tenant le drap d'une main et le revolver de l'autre, et alla ouvrir. Ransom entra, nous montrant qu'il n'était pas armé puis il s'assit, de la même façon que tout à l'heure.

— J'ai transmis toutes vos demandes aux autorités compétentes, commença-t-il par dire, mais il y a des contre-conditions.

— Des contre quoi?... dit Stoop. Quelles contre-conditions?

— C'est négatif pour le million de dollars, Stoop.

Je suis intervenue :

— Stoop, pourquoi est-ce que tu demandes des choses impossibles? T'essaie de te suicider ou quoi?

— Avec tous ces flics tout autour de nous, pas besoin de me suicider, Aizy, ces messieurs m'aideront gratuitement à le faire, n'est-ce pas, flic? N'est-ce pas que la police a l'habitude d'aider des types comme Bobby French à se faire tuer pour rien?...

— French est vivant, dit Ransom.

— Comment le savez-vous? m'écriai-je.

— J'ai téléphoné à l'hôpital Saint-Vincent-de-Paul : ils lui ont retiré une balle de l'épaule.

— Tu crois ça, Aizy? dit Stoop.

— Je ne sais pas.

Ransom paraissait ne pas mentir. Je voulais le croire, de toutes mes forces.

— Connaissiez-vous bien Bobby French? me demanda Ransom.

— Suffisamment.

— Son père était juge, n'est-ce pas?

— Il l'est toujours.

— Non, il est mort.

— Qui est mort?

— Le père de French. Pourquoi Bobby ne vous l'a-t-il pas dit? Son père est mort il y a trois semaines, d'un cancer du poumon.

— Et qu'est-ce que cela change aux données de la situation présente? ai-je fini par dire, après avoir reçu comme un coup au cœur.

— Cela ne change rien, je suppose. Je pensais seulement que... enfin, je pensais que vous deviez le savoir.

Ransom pouvait se vanter d'avoir porté un coup terrible à mon moral déjà si bas. Pourquoi French ne m'avait-il rien dit? Pourquoi Bobby n'avait-il rien dit à personne? Il n'était même pas allé à l'enterrement. Tout ce plaidoyer tiers-mondiste à propos de son *peuple* qui crevait de faim en Afrique, tout ce grand baratin idéaliste à propos d'Africains qui ne le connaissaient même pas, et il n'était même pas allé à l'enterrement de son père! French redevenait une énigme pour moi. Comment, ce salaud avait baisé avec moi, il était prêt à crever pour cette bombe et il ne m'avait rien dit... Était-ce parce qu'il haïssait son père ou parce qu'il ne m'aimait pas qu'il m'avait caché la mort du juge? Et puis merde!

— Est-ce que ça changerait quelque chose pour vous, monsieur le sale flic, si je vous apprenais que je suis enceinte de Robert French?...

Je n'étais pas enceinte, mais cette idée me traversa la tête et Ransom parut secoué à son tour : un partout, match nul. Puis, au bout d'un moment, Ransom comprit que je mentais, que j'avais voulu lui rendre la monnaie de sa pièce.

— Je ne vous crois pas, Aizy.

— De toute façon, vous vous en foutez, n'est-ce pas?

— Qu'en savez-vous, Aizy?...

— Et où en sont nos conditions? demandai-je.

— Nous n'acceptons pas vos conditions.

— Même pas la condition du test?

— Si vous vous rendez maintenant, le procureur tiendra compte de votre repentir en adoucissant au maximum les peines que vous encourez. Mais nous ne pouvons faire aucune promesse ferme. Vous avez tué un policier. Or, il nous est difficile de faire un compromis avec vous, depuis que cet homme est mort.

— Et alors, qu'est-ce qui va se passer maintenant?

Vous rendez-vous compte, monsieur le flic, que vous êtes tout simplement en train de me suggérer — inconsciemment sans doute — que je n'ai plus d'autre alternative que de faire sauter la moitié de New York? Vous êtes cons dans la police, ou quoi? Faut-il que j'appuie sur ce déclencheur pour que tout le monde soit content?

— Ce n'est pas moi qui décide, Aizy. Si cela ne dépendait que de mon autorité, je vous donnerais tout et n'importe quoi. Je vous donnerais New York tout entier quoique, à mon avis, New York ne soit pas un cadeau à vous faire, au jour d'aujourd'hui.

— Mais qui est-ce qui décide, bon dieu?

— Des tas de gens. Essayez de comprendre. Si vos conditions n'étaient adressées qu'à des individus, ils les accepteraient sans doute sans hésiter, compte tenu de l'enjeu. Mais vous ne traitez pas avec des individus, vous traitez avec des *institutions*, Aizy, et les institutions ne réagissent pas comme les individus. Pour le moment, ces institutions vous ordonnent de capituler sans condition, un point c'est tout.

— Pour le moment?

— Oui, pour le moment.

— Et par la suite?

— Je ne sais pas si les institutions peuvent changer d'attitude.

— Mais c'est possible. Les institutions peuvent changer...

— Je ne sais vraiment pas...

Stoop se mit à rire :

— Je t'ai dit qu'ils jouaient avec nous.

— La ferme, Stoop! Que nous suggérez-vous donc?

— Renoncez aux 7 kilos de plutonium et à tout le reste, sauf à la possibilité d'une amnistie judiciaire. Ce sera difficile de l'obtenir, car un policier a été tué, mais peut-être le procureur vous l'accordera-t-il...

— Je laisse tout tomber, sauf le test de la bombe.

— Aizy..., dit Stoop.

— S'ils promettent de tester la bombe, s'ils en informent les journalistes, s'ils s'engagent à faire tester la bombe en présence des journalistes et enfin s'ils me laissent m'expliquer devant ces mêmes journalistes, alors la bombe est à vous, oui, à vous.

— Hé! une minute, petite salope! s'écria Stoop en se penchant sur sa chaise et en saisissant son revolver. C'est avec moi qu'il faut parler, sale flic. Je ne suis pas avec elle, moi; je ne suis pas encore crevé, je peux tuer cette petite garce et prendre cette putain de bombe.

— Elle aura fait exploser la bombe avant que tu n'aies le temps de te bouger le cul de cette chaise, dans l'état où tu es, Stoop, dit Ransom sèchement.

— Tu veux parier, flic?

— Non.

— Alors, écoute-moi, c'est avec moi qu'on traite.

— Je l'écoute elle, Stoop, parce qu'elle est raisonnable. Elle est responsable, elle me parle; toi, tu ne fais que hurler comme un rat piégé.

Puis Ransom se leva et sortit, de la même manière que la première fois.

CHAPITRE XLII

— Écoutez, dit Ransom, tout ce que la fille exige, c'est que nous procédions au test de cette maudite bombe.

Le technocrate rouquin au blazer bleu fit signe à Ransom de se taire, l'oreille collée sur le récepteur d'un téléphone relié directement avec Washington.

— Oui monsieur, je comprends, oui monsieur... oui monsieur le...

Fin de la communication, on avait raccroché.

— Ils sont en train d'en discuter en haut lieu, dit le technocrate en reposant le récepteur.

— Discuter de quoi? s'écria Ransom. Vous n'avez même pas entendu ce que je viens de dire.

— De quoi parlez-vous, capitaine?

— Du test, bon dieu! Elle fait du test la seule et unique condition de leur reddition.

— Rappelez, dit Caroll.

— Je ne peux pas le faire maintenant, répondit le rouquin. (Il regarda sa montre, puis déclara vaniteusement) : Washington me rappellera dans exactement un quart d'heure.

Ransom prit Caroll à part :

— Qu'est-ce que ces rigolos de cowboys en cravate sont en train de magouiller? Tous ces petits cons de bureaucrates me font peur.

— Ils essaient de joindre quelqu'un à Washington, quelqu'un de très haut placé, qui puisse prendre une décision. C'est ce que je suppose. En ce moment ils envisagent de prendre l'appartement d'assaut : grenades lacrymogènes par les fenêtres, chloroforme propulsé à travers la tuyauterie, tout ce cinéma à la Hollywood...

— Surveillez-les, inspecteur. C'est vous le patron, ici, n'oubliez pas ça. Personne ici ne peut vous donner d'ordres, pas ces petits cons d'amateurs.

— Ne vous inquiétez pas, Harry. Occupez-vous des deux jeunes là-haut; moi, je m'arrangerai avec ces rigolos.

Ransom sortit dans le couloir. Pat Walsh était assis par terre, conversant avec un autre détective. Ransom s'approcha de lui.

— Vous ne dormez jamais? lui demanda Ransom.

Walsh voulut se lever.

— Restez assis, dit Ransom, ne vous dérangez pas pour moi. Pourquoi ne rentrez-vous pas dormir chez vous?

— Je veux attendre la suite des événements pour voir comment tout cela va finir. J'ai beaucoup *investi* dans toute cette affaire.

Ransom regarda vers la rue et vit Brech debout devant l'entrée de l'immeuble; il regardait d'un air absent les allées et venues des voitures de police et des cars de pompiers; il se rongeait les ongles.

Ransom le rejoignit :

— Je vous croyais toujours là-haut, dit Brech.

— Je viens juste de redescendre.

— Que veulent-ils?

— Stoop, le type, débloque complètement; il veut la lune : 1 million de dollars... Mais la fille désire seulement que nous fassions tester la bombe. Je vais régler son compte à Stoop, d'une manière ou d'une autre, si je dois employer les grands moyens... Washington doit nous rappeler dans un quart d'heure pour nous dire si oui ou non ils acceptent de procéder au test...

— Je crois qu'ils n'accepteront pas.

— Pourquoi? On teste la bombe et New York est sauvé, ça vaut le coup, non?

Brech secoua la tête :

— Je ne suis pas aussi optimiste que vous. Ils n'ont jamais fait de test public en trente ans. Jamais! Vous savez comment sont ces culs de plomb de Washington...

— Eh bien, ils ont intérêt à changer.

— Ils changeront, je suppose. Mais savez-vous combien de temps il leur faudra pour cela? Savez-vous combien de temps nous devrons attendre pour obtenir l'accord de tout le monde? Et combien de temps encore pour que tout le monde décide de se mettre d'accord sur ce que tout le monde aura décidé?

Ransom ne dit rien. Pour la première fois, il commençait à penser que peut-être, après tout, cette bombe allait réellement exploser ici et maintenant, devant le siège de l'O.N.U.

— Entre vous et moi, Brech, pensez-vous que leur bombe peut vraiment exploser?

— On n'est jamais sûr de rien à cent pour cent. Mais je ne vois pas comment elle pourrait ne pas exploser. J'étais justement en train d'y penser, j'essayais de trouver un vice, j'essayais de me persuader qu'il y a quand même une chance sur mille pour qu'elle n'explose pas. Mais j'ai vu le plastic C/4, j'ai vu les détonateurs, j'ai vu les tubes, la boîte à gants, le four à induction. Je lui ai parlé, à elle. La science nucléaire est en théorie très complexe, Harry; mais, d'un point de vue pratique, la fabrication d'une bombe est quelque chose de très facile à faire : il ne suffit que d'avoir un bon niveau de connaissances, et ce niveau, cette fille l'a acquis. Certes, elle ne sait pas tout, mais elle sait l'essentiel, c'est-à-dire que sa bombe peut très bien exploser au moment où elle appuiera sur le déclencheur...

En face d'eux, de l'autre côté de la place, la masse du haut building de l'O.N.U. ne les empêchait pas de voir une partie du grand fleuve pollué, souillé par le mazout, les déchets de la ville, et sur la surface duquel se reflétait la lueur rouge, couleur sang, d'une gigantesque enseigne au néon portant l'inscription : *Pepsi-Cola*.

Brech reprit :

— D'une certaine manière, vous savez, cette bombe sera tout aussi mortelle si elle n'explose pas...

— Pourquoi donc?

— Parce que le plutonium lui-même est terriblement dangereux, une fois libéré. Il est vingt mille fois plus nocif que le venin de cobra ou le cyanure de potassium et un million de fois plus nocif que les plus mortels des gaz. Quelques particules de poussière de plutonium peuvent suffire à tuer des milliers de gens. Si elle appuie sur le bouton, le plastic explosera, c'est certain, mais si le plutonium n'entre pas en fission, il va se désintégrer en poussière et se propager Dieu sait où, à des dizaines de kilomètres d'ici.

Ransom lui demanda alors :

— Et cela, le sait-elle?

— Bien sûr que oui. La C.E.A. a envoyé des équipes de décontamination dans toute la région. Notre P.C. reçoit constamment des bulletins météo. Pour le moment, c'est mauvais pour Westchester.

— Mon Dieu! s'exclama Ransom.

— Dieu doit bien rigoler, là-haut.

— Je suppose que Dieu en a vu d'autres...

Ransom leva les yeux vers le ciel : la lune brillait juste au-dessus du building de l'O.N.U. et deux hélicoptères de la police tournoyaient lentement à la verticale de la place des Nations Unies.

— Est-ce ainsi que vous vous imaginiez ce que nous vivons en ce moment, Brech? Toute cette armée de flics et de pompiers sur le pied de guerre à cause de deux adolescents décidés à faire exploser cet engin de mort? ... Une fille qui n'a même pas vingt ans...

Brech émit un bruit de bouche qui ressemblait à un hoquet. Ransom le regarda et vit naître sur ses lèvres une sorte de petit rire excité :

— J'avais envisagé plusieurs types de scénarios, répondit Brech. Celui du surdoué de onze ans, petit génie précoce en sciences nucléaires; celui d'un groupe de terroristes internationaux; celui d'une bande de truands maîtres chanteurs. Mais mon scénario favori, celui qui avait ma préférence en tout cas, était le suivant : à une époque où les États-Unis vivent dans l'angoisse d'une attaque nucléaire des Chinois et des Soviétiques, oui, je pensais que ce serait vraiment comique et inattendu si la première bombe atomique à exploser dans une ville américaine était l'œuvre d'un petit vieillard modeste et tranquille du type Américain moyen...

— Eh bien, dit Ransom, qui vivra verra...

Ils furent soudain interrompus par l'arrivée d'un Noir, petit et d'âge moyen, qui les aborda :

— Pardon, messieurs...

— Puis-je vous renseigner? demanda Ransom.

— J'appartiens à la délégation du Gamboula aux Nations Unies et j'aurais voulu...

Il parlait avec un accent anglais, il était plein de bonnes manières et on le sentait infiniment cultivé.

— Je suis désolé, dit Ransom, mais en ce moment vous devriez être derrière les cordons de police. Nous avons déjà des représentants de l'O.N.U. ici. Vous devriez plutôt...

— Pardonnez-moi de vous interrompre, répondit le Gamboulais, mais je serais désireux d'entrer en contact avec une certaine Mlle Tate ou un certain M. French ou un certain M. Youngblood. Je pensais que peut-être...

Sans doute pour le convaincre de sa bonne foi, le Gamboulais montra à Ransom un laissez-passer orange.

— Êtes-vous un représentant des autorités de police? demanda le Gamboulais.

— Oui, répondit Ransom, devenu soudain méfiant. Vous pouvez donc me parler sans crainte.

— Puis-je vous demander votre nom, cher monsieur?

— Je m'appelle Caroll, dit Ransom.

— Eh bien, voilà, monsieur Caroll, nous voudrions vous aider, vous rendre service si nous le pouvons. Nous avons pensé que peut-être, oui peut-être... car il semble souvent que dans ce genre de situation, n'est-ce pas... oui, il semble que certains groupes terroristes demandent le droit d'asile dans un pays d'accueil comme condition de leur reddition. L'expérience prouve qu'il est difficile de trouver un pays désireux d'offrir un tel asile à de telles personnes. Nous n'avons aucun détail, bien sûr, sur l'état de la situation, ni sur le type de conditions exigées, mais nous avons pensé que dans l'éventualité où ces personnes réclameraient l'asile... eh bien, nous aimerions vous faire savoir que le gouvernement de notre pays se tient entièrement à votre disposition. Je suis mandaté pour vous faire part de notre proposition, d'autant plus qu'au point où nous en sommes de cette tragédie, si je puis m'exprimer ainsi, mes supérieurs tentent d'établir d'autres contacts à d'autres niveaux.

Il s'arrêta, sourit gracieusement, hors d'haleine.

— Eh bien, merci beaucoup, monsieur... ?

— Bikila. Je suis l'attaché de presse de notre délégation.

— Eh bien, merci beaucoup, monsieur Bikila; vous pouvez assurer vos supérieurs que je transmettrai leur offre, si opportune, aux autorités concernées. En fait, je la transmettrai directement aux terroristes eux-mêmes.

— Merci, dit-il.

Il s'inclina, recula et disparut au milieu des voitures de pompiers.

— Merde! s'écria Brech, vous n'allez quand même pas croire ce type et répéter ça à nos deux dingues, là-haut?

— Je plaisantais, Brech. Bien sûr que je ne leur dirai rien, c'est évident. J'ai seulement voulu savoir ce que ce soi-disant Gamboulais avait derrière la tête...

— Je devrais faire un rapport à la C.E.A. sur cette initiative diplomatiquement regrettable des autorités gamboulaises, dit Brech.

— C'est ça, Brech, faites-nous un rapport! Mais une autre fois, hein, parce que moi, j'ai actuellement besoin de vous pour remonter là-haut.

— Dans l'appartement là-haut, vous voulez dire...

— Oui, vous et moi, nous allons faire un petit tour là-haut.

— Mais pourquoi devrais-je vous obéir?

— Parce que vous connaissez un peu la fille, Brech, vous avez déjà parlé avec elle, vous m'avez même dit que vous la trouviez sympathique, et puis j'ai besoin de vous, Brech, voilà pourquoi.

— Croyez-vous que ma présence là-haut changera quelque chose à la situation?

— Qui ne tente rien n'a rien, Brech.

— Mais en quoi vous serai-je utile là-haut?

— Vous expliquerez gentiment à cette fille, en usant de tout votre charme et de votre autorité de scientifique, que Washington n'est pas chaud pour que nous fassions procéder au test de la bombe. Du charme, Brech, du charme, j'ai besoin de vous.

— Je ne suis pas un grand charmeur, Ransom.

— Eh bien, vous ferez ce que vous pourrez.

Ransom retourna voir l'inspecteur-chef Caroll.

— Alors, qu'ont décidé nos cowboys en cravate, inspecteur?

— Rien pour l'instant, répondit Caroll. Ces rigolos tournent en rond, ils se tâtent. Je n'ai pas l'impression que ces cons, à Washington, comprennent réellement ce qui se passe ici. Tous ces bureaucrates balisent devant leurs petits chefs et je suppose que leurs petits chefs eux-mêmes balisent devant les grands chefs.

— C'est pas comme nous, hein, inspecteur ?

— Si c'était moi le chef, dit Caroll, je donnerais à ces deux dingues toute cette foutue ville s'ils me la demandaient.

— C'est raisonnable, répliqua Ransom. Je remonte là-haut. Ce n'est pas bon de les laisser seuls longtemps. Il ne faut pas leur donner trop l'occasion de gamberger.

La porte du studio s'ouvrit et le rouquin au blazer bleu appela Ransom :

— Puis-je vous parler une minute, capitaine ?

Ransom et Caroll entrèrent dans le P.C. des opérations rempli de bureaucrates affairés devant des téléphones.

— Quel est exactement votre plan d'action, capitaine ? demanda le rouquin à Ransom.

— Mais je n'ai pas de plan, dit Ransom. J'essaie seulement d'empêcher cette fille d'appuyer sur le déclencheur.

— Ainsi, vous ne vous en remettez qu'au seul pouvoir de votre capacité de persuasion personnelle ?

Un grand silence se fit dans la pièce. Aizy et Stoop n'étaient pas les seuls à avoir les nerfs à vif. Tout le monde regardait le rouquin et Ransom, silencieusement.

Ransom répondit :

— Voyez-vous un autre pouvoir que celui-là capable de les persuader, dans l'état actuel des choses ?

— Mais si cette fille ne se laisse pas convaincre par votre pouvoir de persuasion, qu'allons-nous faire ?

— Eh bien, dans ce cas, nous ne ferons plus rien puisque nous serons tous morts, vous, moi et tous ceux qui traînent dans les parages en ce moment.

— Je ne pense pas que votre pouvoir soit celui qui convienne à la situation, capitaine.

— Je n'ai rien à foutre de ce que vous pensez !

— Capitaine, je suis habilité à...

— Habilité mon cul !

— Ransom ! intervint Caroll.

— Si vous avez un meilleur plan, montez donc là-haut vous-même, dit Ransom au rouquin, et essayez de les convaincre, allez-y, montez !

— Ce n'est pas ce que j'envisage.

— Vous ne m'étonnez pas.

— Voyons, capitaine, gardons notre sang-froid.

— Monsieur, m'avez-vous jamais vu perdre mon sang-froid?

Le rouquin fixa Ransom dans les yeux un instant, puis retourna s'asseoir devant un des téléphones reliés directement à Washington. Les conversations reprirent dans le P.C. des opérations.

Avant de sortir, Ransom dit à Caroll :

— Il ne faudrait pas que ce con me pousse à bout.

Il attrapa alors Brech par le bras et le poussa gentiment dans l'ascenseur.

— Où allez-vous? demanda Caroll à Brech.

— Je l'emmène là-haut avec moi, dit Ransom.

Les portes de l'ascenseur se refermèrent sur les deux hommes.

CHAPITRE XLIII

— Donc, comme ça, Stoop n'aura rien du tout, mur-mura Stoop. Rien sauf une balle dans la tête pour tenir compagnie à celle que j'ai déjà dans le ventre...

Son hostilité avait disparu et je le trouvais si pathétique que j'avais presque du chagrin pour lui.

— Est-ce que ça te fait mal? dis-je.

— J'ai volé pour toi, travaillé pour toi, je t'ai aidée, j'ai tué un flic, et tout ce que tu me donnes c'est...

— Il faut être réaliste, Stoop. Ils ne nous donneront rien, ni l'argent ni le reste, alors oublie tout ça. Ils ne céderont pas, quoi qu'il arrive. Il faut être réaliste.

— Qu'est-ce que ça veut dire *réaliste?* Toi, tu es pleine de réalisme, c'est sûr. Mais il y a quelque chose que tu ne réalises peut-être pas bien, Aizy. Tu te trouvais avec moi quand j'ai tué ce flic, et ça s'appelle complicité de meurtre. Peu importe si c'est arrivé sans que tu l'aies voulu, peu importe que ce ne soit pas toi qui aies tiré. Tu es coupable, chérie, autant que moi. Tu as juridiquement tué ce flic. Moi, à ta place, je ne renoncerais pas à notre demande d'amnistie, des fois qu'on se sortirait de là autrement que les pieds devant. A mon avis, on va crever. Mais suppose qu'on s'en tire quand même, tu te vois condamnée à perpète pour complicité d'assassinat d'un flic? Donc, tu devrais maintenir notre demande d'amnistie, chérie, oui, à ta place, moi je ferais ça.

— Je cours le risque. S'ils testent la bombe et que c'est négatif, ça m'est égal s'ils me condamnent. Mais si c'est positif, ça jouera en notre faveur. Nous aurons eu *raison,* tu vois ce que je veux dire, Stoop, nous aurons eu *raison.*

228

— Ma vieille, ça ne t'empêchera pas de crever ou de faire de la taule, d'avoir eu raison ou pas.

Je remis le magnétophone en marche. Je parlais depuis à peu près dix minutes quand Stoop rouvrit les yeux et dit :

— Tu ferais mieux de leur donner un ultimatum, Aizy, sinon ils vont nous baiser sur toute la ligne.

Là, j'étais bien d'accord avec lui.

CHAPITRE XLIV

Walsh attendait Dusko. Il était assis par terre et, chaque fois que quelqu'un ouvrait la porte de ce studio transformé en P.C., il levait les yeux pour voir si c'était Dusko. Il pensait à sa femme, à ses fils, et aussi à Stoop. L'épuisement l'aidait à mieux comprendre son problème. Si Stoop n'était pas allé voir Pitt, si Stoop avait joué le jeu comme prévu, lui, Walsh, aurait commandé tous ces pingouins-là, et quand ils auraient récupéré la bombe et sauvé la ville, et que les journalistes se seraient mis à chercher le héros de cet exploit, c'est lui qui aurait eu droit à la une des journaux, lui, Walsh, héros courageux et décidé qui avait ferré le poisson et tiré la sonnette d'alarme. Le procureur n'aurait rien pu faire contre lui, parce qu'on ne traîne pas les héros en justice. Mais il n'y avait plus d'espoir, maintenant. Dusko pouvait dire au procureur qu'il n'avait jamais eu besoin de Walsh, et adieu sa note de circonstances atténuantes... Il n'avait plus qu'une seule façon de s'en sortir, maintenant. Il l'avait pourtant dit à Stoop, il lui avait pourtant dit... Ce bâtard l'avait trahi, lui, sa femme, ses fils...

Dusko apparut dans l'encadrement de la porte. Walsh d'un bond fut debout.

— Tu deviens très poli, Paddy, dit Dusko.

— Ouais. Écoute, je suis crevé. Le manque de sommeil me donne envie de causer et j'aimerais causer cinq minutes avec toi.

Il prit Dusko par le bras et sortit avec lui dans la rue.

— Écoute, dit Walsh, Stoop est mon indic. Il me connaît depuis longtemps. Je n'irai pas jusqu'à dire que je suis son meilleur ami, mais il a une confiance absolue en moi parce qu'il me connaît. Je suis devenu pour lui un visage familier, quelque chose de connu, quelqu'un à qui il peut parler, tu vois ce que je veux dire?

— Il a déjà beaucoup trop parlé à mon goût.

— Alors peut-être qu'il aurait besoin de m'écouter un peu?

— Qu'est-ce que tu as en tête?

— Tu le sais bien. Je veux aller là-haut pour lui parler, voir comment ça se passe, comment les choses évoluent. Ça ne peut pas rendre les choses pires qu'elles ne le sont actuellement.

— Y a pas d'échange possible, Walsh. Je sais ce que tu as en tête. Tu peux aller là-haut, t'emparer de cette bombe et sauver ainsi notre bonne ville de New York. Mais même en supposant que par miracle tu y parviennes, Walsh, cela ne t'empêcherait pas de passer en justice. Le Parquet ne transige pas avec un flic compromis...

— Je sais, je connais la chanson : « Le Parquet ne transige pas... » et tout le blabla. Mais je peux tenter ma chance, non? Et puis, si je pouvais faire quelque chose pour aider... enfin, quoi, écoute-moi, Dusko, je sais que tu penses que je suis un mauvais flic, mais c'est une bombe atomique qu'il y a là-haut, et si je peux aider à la neutraliser, laisse-moi le faire, s'il te plaît. Il faut que je le fasse. C'est mon devoir.

Dusko sourit d'un air franchement amusé, se retenant pour ne pas rire.

— Ça dépend de Ransom, répondit-il, pas de moi.

CHAPITRE XLV

Ransom revint dans l'appartement, accompagné par le professeur Brech. J'ai apprécié. Je sentais, comment dire, je me sentais proche de Brech. Il était la seule personne que j'aie jamais rencontrée (sauf mes professeurs, mais les profs ne comptent pas) qui soit un professionnel faisant ce que je rêvais de faire : de la recherche nucléaire. Et, de toute façon, il n'était pas flic. Ils s'assirent. Je leur posai mon ultimatum : si les journalistes n'étaient pas dans cet appartement, ici, avec moi, avant 21 heures, ce qui leur laissait deux heures de réflexion, et si l'on ne me garantissait pas le test et la publication de ses résultats dans la presse, je *testerais* la bombe moi-même.

— Peut-être n'explosera-t-elle pas, ajoutai-je, alors nous vous aurons causé tous ces ennuis pour rien.

Brech regarda Ransom comme s'il allait dire quelque chose, mais il laissa Ransom parler.

— Nous avons une pièce pleine de gens qui sont en train de téléphoner à Washington là, quatre étages plus bas, dit Ransom. Ils essaient d'obtenir ce que vous voulez, mais...

Il jeta un coup d'œil à Brech, qui comprit que c'était à lui de jouer.

— Je travaille pour la Commission à l'énergie atomique, Aizy. Je travaille pour eux depuis le début des années 40. Ils n'ont jamais fait aucun test public, jamais testé aucune bombe qu'ils n'aient fabriquée eux-mêmes. Ce sont des bureaucrates routiniers, encrassés par trente-cinq ans de routine et d'habitudes bureaucratiques. Elles ne peuvent être changées en une nuit. Peut-être même ne pourront-elles jamais être changées. Ce que je sais, en tout cas, c'est que

232

nous ne pourrons pas changer cet état de choses dans les deux heures à venir.

Stoop grogna :

— Baratin! Baratin!

— Aizy, reprit Brech, la C.E.A., dont je fais partie, est chargée des relations publiques pour l'industrie nucléaire. Est-ce que vous comprenez ce que cela veut dire? Cela signifie que la C.E.A. a la responsabilité de veiller à ce que l'énergie nucléaire ait une bonne image de marque. Or, la procédure de ce test public ne ferait que paniquer l'opinion. Les petits incidents qui se sont produits dans certaines de nos centrales atomiques ont déjà déchaîné contre nous l'opinion. Comprenez donc qu'ils ne peuvent pas procéder à ce test au risque de perdre leur image de marque.

— Peut-être comprendront-ils si je leur fais un dessin, dis-je.

Ça me mettait toujours hors de moi quand quelqu'un essayait de justifier les bassesses merdiques de la politique, comme s'il s'était agi de Dieu. Ils nous tenaient le même discours à Princeton.

— Peut-être ne comprennent-ils pas que la question n'est pas de savoir si oui ou non la bombe sera publiquement testée, mais qu'elle va l'être maintenant, dans deux heures exactement, je suis là pour l'affirmer. La seule question est de savoir si le test aura lieu dans le désert du Nevada ou ici, dans cet immeuble situé devant l'O.N.U.

Brech semblait nerveux, embarrassé.

— Tout ce qui doit nous préoccuper, c'est le lieu effectif du test, dis-je.

Ransom déclara :

— Soyez réaliste, Aizy. Je ne vois pas comment nous pourrions obtenir leur accord en deux heures.

Décidément, tout le monde voulait que tout le monde soit réaliste.

— Alors, messieurs, vous feriez mieux de débarrasser le plancher... Et ne vous arrêtez pas de courir jusqu'à ce que vous ayiez bien dépassé la 62ᵉ rue...

— Je resterai avec vous, Aizy. Nous sauterons ensemble.

— Votre femme n'appréciera pas, monsieur Ransom.

— Moi non plus.

Nous restâmes là, assis tous les quatre sans parler, pendant plusieurs minutes. Puis Ransom dit :

— Si vous êtes bien décidée à appuyer sur ce machin à 9 heures, autant le faire tout de suite. Le délai de votre ultimatum est trop court, c'est impossible qu'ils acceptent en si peu de temps.

— Je ne vous crois pas. Rien n'est impossible. Il suffit de deux secondes au Président pour qu'il donne son accord.

— Pourquoi voulez-vous faire cela, Aizy ? Qu'allez-vous y gagner ? (C'était Brech qui venait de prendre le relais de Ransom.)

— Ce que j'y gagnerai ?

— Oui !

— Eh bien, j'y gagnerai que l'opinion sera enfin alertée sur le danger de la fabrication artisanale d'une bombe atomique, et j'y gagnerai aussi que les autorités feront enfin ce qu'il faut pour que plus jamais personne ne puisse voler ni s'approprier du plutonium ou de l'uranium dans ce pays, sauf les organismes compétents. N'est-ce pas que tout le monde y gagnera ?

— Je suppose que oui, répondit Brech. Probablement que le Congrès...

— Mais pour que le Congrès soit averti et prenne des mesures, il faut procéder au test de ma bombe, n'est-ce pas ?

— Je suppose que oui.

— Mais vous êtes cons ou quoi ? Si ni le Président, ni la C.E.A., ni le Congrès n'acceptent le test, alors d'autres amateurs feront d'autres bombes, et un jour ou l'autre ça pètera. Mais il sera trop tard pour établir des garde-fous juridiques et légaux. Est-ce cela que vous voulez ?

— Je suppose que non.

— Alors, qu'attendez-vous pour convaincre Washington de ma bonne idée et nous sortir de ce cercle vicieux ?

Brech avait l'air encore plus abattu que tout à l'heure; il savait que j'avais raison, car mon raisonnement était on ne peut plus logique.

— Aizy..., commença Ransom.

Brech l'interrompit :

— Aizy, en faisant exploser cette bombe, ce n'est pas

seulement des milliers de personnes que vous allez tuer, mais vous bouleverserez aussi d'un seul coup l'équilibre mondial actuellement fondé sur le principe de la dissuasion nucléaire. Comprenez-vous cela, envisagez-vous les conséquences politiquement tragiques de votre geste?...

— Il faut que l'opinion soit informée des dangers, du terrible danger qu'elle court, ai-je dit. Les gens doivent savoir, comprendre que, si la science est intelligente, elle est aussi aveugle.

— Cette discussion ne nous mène nulle part, répliqua Ransom.

— C'est justement là où la science est en train de nous mener : nulle part, c'est-à-dire au néant.

— Ne faites pas de la science le bouc émissaire de votre révolte, Aizy, observa Brech. La science nous a donné...

— ... les chambres à gaz et les bombes au napalm, la pénicilline et la greffe du cœur, je sais, le meilleur mais aussi le pire. Voilà ce que la science nous a donné, monsieur Brech. Mais si n'importe quel fou est un jour capable de faire ce que j'ai fait, que restera-t-il de la science et de nous, monsieur Brech, quand nous serons tous morts *atomisés*?...

— Ces discours nous éloignent de notre problème actuel, intervint Ransom avec un réalisme propre aux flics. (Puis il ajouta :) Si nous revenions ici un peu avant 21 heures et que nous puissions vous dire que nous avons un peu progressé, c'est-à-dire que nous sommes en train d'aboutir, est-ce que vous nous laisseriez un peu plus de temps?

— Ma vieille, si tu leur laisses faire ça, ils vont nous faire chier toute la nuit, dit Stoop. Faut que tu les tiennes sous pression, chérie. Tu l'as dit, faut pas plus de deux secondes au Président pour en terminer avec toute cette merde. (Il pointa son revolver sur Ransom.) Et vous, sale flic, n'oubliez ni l'argent, ni ma liberté sous caution. J'ai toujours mon flingue, moi, et même s'il ne peut pas tuer autant de personnes que cette bombe, il pourra toujours vous tuer vous. Vous comprenez cela, tous les deux?

Il pointa le canon de son revolver en direction de Brech. Brech essayait de ne pas paraître effrayé, d'avoir cet air calme, serein et professionnel qu'avait Ransom. Ransom, lui, agissait comme s'il avait eu des revolvers braqués en permanence sur lui toute sa vie.

— Qu'en pensez-vous? me demanda Ransom.

— C'est non. Stoop a raison pour une fois. C'est 21 heures ou ça pète! Vous avez tout le temps, tout le temps nécessaire. Je le sais et vous le savez aussi.

Quand ils partirent, il était 19 h 20. Je savais que leur prochaine visite serait la dernière. Ils allaient descendre voir si un miracle de dernière minute venait de se produire, puis ils reviendraient voir si j'avais changé d'avis, puis ils... *exploseraient* avec moi.

Stoop me regardait, se demandant ce que j'allais faire et si j'aurais le cran. Le cran ou la folie d'appuyer... Je le regardais, je fixais ses yeux noirs glacés, ses yeux de sale gosse des rues, qui souriaient, se moquaient de moi, me défiaient. Il savait des tas de choses sur la vie que je ne savais pas, pouvait faire des choses que je ne saurai jamais faire. Je pensais, moi : « Tu seras bien étonné, Stoop, quand j'appuierai sur ce bouton. » Car j'allais appuyer sur le bouton, ça je le savais.

Alors je suis allée parler dans le micro du magnétophone pour la dernière fois. Et me voilà. Je suppose que je devrais dire le mot de la fin.

— Un dernier mot à dire à ces messieurs-dames, Stoop?...

Il ne répond pas. Il me regarde fixement puis il sourit. Tout ce que je demande c'est que ces bandes d'enregistrement soient diffusées pour empêcher que des gens comme moi puissent jouer avec le feu... Alors je serai contente que les choses se soient passées ainsi. C'est tout ce que j'ai à vous dire. Je vais mourir ici dans une heure et demie exactement et je n'ai rien d'autre à ajouter, rien d'autre à ajouter, rien d'autre...

CHAPITRE XLVI

— Et alors, putain de nom de dieu, hurla Caroll, qu'est-ce que vous croyez, qu'ils vont rester assis là-haut sur leur cul, jusqu'à ce qu'ils meurent de vieillesse!

Tous les bureaucrates du P.C. des opérations entouraient le rouquin qui répondait au téléphone :

— 21 heures dernier délai, oui monsieur le ministre... Est-ce que le Président sera rentré?... Oui monsieur, non monsieur le ministre, ils n'exigent plus la livraison de plutonium, très bien monsieur le...

Washington avait raccroché.

— Que vous a-t-elle dit? demanda l'un des technocrates à Ransom.

— Elle dit qu'il est temps que nous prenions une décision et je crois qu'elle a raison. Elle pense aussi que le Président peut régler la question en deux secondes et là encore je crois qu'elle n'a pas tort.

Le rouquin s'interposa entre Ransom et le type :

— Si vous pouvez joindre le Président qui est introuvable, faites-le, capitaine, appelez Washington vous-même.

Ransom sortit et alla trouver Walsh.

— Nous avons environ une heure devant nous, lui dit-il. Je monte là-haut pour la dernière fois et j'aimerais que vous veniez avec moi, Walsh. Du fait que Stoop est votre indic, je pense que vous êtes le plus qualifié. Si vous ne voulez pas venir, vous n'êtes pas obligé.

Walsh répondit calmement :

— Je vous suis, capitaine.

Ransom tapota du doigt le revolver que Walsh portait sous sa ceinture.

— Prenez du sparadrap et collez votre flingue entre

vos cuisses. Ils regarderont votre ventre, votre ceinture et vos bas de pantalon pour voir si vous n'êtes pas armé. Planquez bien votre flingue.

Ransom laissa Walsh sur le palier et rentra dans le P.C. des opérations.

— Croyez-vous qu'elle respectera les délais de son ultimatum? demanda quelqu'un à Ransom.

— Oui, je le pense, répondit le capitaine. Je pense aussi que l'immeuble, le P.C., l'O.N.U. ainsi que tout le quartier devraient être évacués maintenant. Personne ne doit plus traîner dans le coin, sauf moi-même et un autre flic qui va remonter avec moi. Si tout va bien, je vous donnerai de mes nouvelles.

Le rouquin fit chercher par l'un de ses subordonnés un talkie-walkie pour Ransom.

— Si tout va bien, vous nous donnerez de vos nouvelles avec ce talkie-walkie, dit le rouquin.

Puis, d'un air solennel, le rouquin, en présence de tous ces technocrates des services de sécurité, remit le talkie-walkie noir à Ransom, lui souhaita bonne chance et lui tendit la main. En vérité, Ransom eût préféré cracher sur cette main que de la serrer. Cette main tendue représentait tout ce qu'il haïssait : la bureaucratie de Washington. Cependant, contraint et forcé, il finit par la serrer, mais y mit tant de force que l'autre fit la grimace, Ransom, malgré sa main handicapée et couverte de cicatrices, la lui ayant écrasée comme de la chair à saucisse. Ransom alors rejoignit Walsh; les deux hommes entrèrent dans l'ascenseur et appuyèrent sur le bouton du quatrième.

— Si nous réussissons à les tenir en haleine jusqu'à l'heure de l'ultimatum, Walsh, je vous jure que je ne laisserai pas cette fille faire exploser sa bombe. Je vous le jure, bon dieu!

Walsh ne disait rien.

— Nous les baratinerons jusqu'à la dernière minute, continua Ransom. Si j'ai le sentiment, à cette minute-là, qu'elle est décidée à appuyer sur le bouton, je lui tire une balle en pleine tête. Ça va être une course de vitesse entre mon index et le sien...

Ils arrivèrent à l'appartement. Stoop leur ouvrit la porte. Mais, quand il vit Walsh, il la referma violemment.

— Stoop, hurla Ransom, ouvre la porte! Qu'est-ce qui te prend, bon dieu? Tu te dégonfles? Walsh te fait peur?

Ransom jouait sur la faiblesse de Stoop, sa corde sensible de loubard : son courage, son orgueil, sa virilité. Il entendit Aizy crier au Noir :

— Ouvre-leur la porte, Stoop, arrête tes conneries. Nous avons assez de problèmes comme ça.

Piqué au vif par la provocation de Ransom, Stoop leur ouvrit la porte.

— Nous voulons voir si vous n'êtes pas armés, déclara Aizy.

Stoop palpa les deux hommes mais ne découvrit pas leurs revolvers.

— Il n'y a rien de changé, dit Ransom après que Walsh et lui se furent assis. Le Président ne peut quand même pas prendre une décision en deux secondes, vous devez comprendre ça.

Aizy tendit à Ransom les bandes enregistrées de son long monologue au magnétophone. Ransom les posa près de lui.

— Prenez ces bandes avec vous quand vous sortirez d'ici. Si la bombe n'explose finalement pas, je veux que vous me les rendiez. Mais si la bombe explose, faites-en ce que vous voulez si vous pouvez le faire...

— Mais je n'ai pas l'intention de sortir d'ici, lui répondit Ransom.

Aizy se frotta les yeux, elle se sentait courbatue, épuisée, à bout.

— C'est notre dernière conversation, Aizy, car nous sommes ici pour rester avec vous jusqu'au bout, quoi qu'il arrive.

— C'est stupide, dit-elle.

— Peut-être, mais nous restons.

— Il faut que vous alliez mettre cet enregistrement en lieu sûr.

— Qu'est-ce que c'est?

— Le récit de toute notre aventure, avec tous les détails des événements.

— Stoop, dit Ransom, je dois appeler mes collègues au moyen de ce talkie-walkie. O.K.?

— O.K.! répondit Stoop, sans quitter Walsh des yeux.

Ransom approcha le talkie-walkie de ses lèvres et appela :

— Inspecteur Caroll, Caroll, est-ce que vous m'entendez?

— Nous vous entendons, capitaine. Nous vous passons l'inspecteur...

— C'est moi, Harry. Ici l'inspecteur Caroll, parlez...

— Inspecteur, j'ai un paquet ici qu'il faudrait venir prendre.

— Ça y est! Il l'a! Il l'a! hurla alors Caroll dans le talkie-walkie.

— Non, inspecteur, non. Ce n'est pas la bombe. C'est juste quelque chose que je voudrais faire sortir. Pouvez-vous envoyer quelqu'un le prendre, s'il vous plaît?

— D'accord, Harry. J'envoie un homme tout de suite. C'est tout?

— C'est tout, inspecteur, terminé.

— Merci, dit Aizy. Alors nous n'avons toujours pas le feu vert pour le test?

— J'ai peur que non.

— Dans ce cas, nous n'avons plus qu'une demi-heure à vivre.

Aizy leur montra un grand aigle en plastique marron dont le ventre était une horloge et qui se trouvait sur la bibliothèque.

Personne ne parlait.

Ransom fixait le déclencheur qu'Aizy serrait dans son poing. Il se demanda si elle aurait le temps de l'actionner avant que lui-même puisse appuyer sur la détente de son revolver.

— Ne faites pas l'erreur de penser que vous pouvez m'embobiner, Ransom, dit Aizy. Je suis jeune, je ne suis qu'une fille et je ne sais pas grand-chose de la vie. Mais j'en sais assez pour avoir pu bricoler cette bombe et j'aurai le courage d'appuyer sur ce bouton.

— Je vous crois, répliqua Ransom. Si vous regardiez par la fenêtre, je pense d'ailleurs que vous en seriez convaincue.

Stoop alla à la fenêtre.

— Que se passe-t-il? lui demanda Aizy.

— Ouais, dit Stoop.

— Ouais quoi?

— Ils mettent les voiles. Tout le monde fout le camp.

— Nous ne sommes plus que quatre à nous trouver ici dans un périmètre de 2 kilomètres carrés, Aizy. S'ils obtiennent le feu vert, ils m'appelleront, sinon...

— Pourquoi ne laissez-vous donc pas ce talkie-walkie ici, Ransom, et pourquoi ne partez-vous pas maintenant?

— Pour vous empêcher de faire une grosse bêtise.

— Ça ne sert à rien de vous faire tuer. Ça ne donnera rien de plus. Partez, maintenant.

— Allez-vous différer le délai de votre ultimatum?

— Non, bien sûr que non. Je pense seulement que vous êtes deux flics suicidaires. Oh! et puis merde!

— Ça fait beaucoup de plutonium gâché, rien que pour tuer quatre personnes seulement, dit Ransom.

— C'est vrai : gaspillage d'énergie nucléaire. A nous quatre, nous ne valons même pas le dix millième de ce que vaut cette bombe.

Elle parut à Ransom beaucoup plus tendue, beaucoup plus fatiguée que lors de sa précédente visite avec Brech. C'était bon signe.

— Qui est ce type? demanda Aizy en désignant Walsh de la tête.

— Je bossais avec Stoop, répondit Walsh.

— Pas *avec* moi, fils de salaud, tu n'as jamais bossé *avec* moi, putain de flic véreux.

— Baisse d'un ton, Stoop, dit Walsh, le passé est le passé. On va crever ici ensemble, mon vieux, toi et moi, alors essayons de nous comprendre.

Un policier frappa à la porte. Stoop ouvrit et Ransom passa les bandes enregistrées au policier, qui disparut. Tout le monde était calme, silencieux. Ce silence énervait Aizy. Assise sur le sofa, elle n'arrêtait pas de croiser et de décroiser les jambes, de plus en plus inquiète, de moins en moins sûre d'elle. Voilà encore qui est bon signe, pensa Ransom. Quand on panique dans ces moments-là, c'est qu'on a peur de mourir. Aizy devait avoir peur de mourir, d'autant plus qu'elle portait la mort dans sa main.

Ransom songea qu'il aurait dû avoir quelques-unes de ces pensées d'avant la mort dont parlent les auteurs de romans : une forte envie de revoir une dernière fois sa femme, ses enfants et de les embrasser, par exemple. Mais il ne ressentait rien de tout cela. Il ne pensait pas qu'il allait mourir, ici et maintenant, même en se forçant il ne pouvait pas y croire. Dans cet appartement de Harlem, avec Martle, son coéquipier, quand il avait vu l'éclair noir du fusil danser devant ses yeux, oui, là il avait vraiment cru qu'il allait mourir, mais il n'était pas mort. Maintenant, il était sûr qu'il n'allait pas mourir. C'était vraiment con' de penser ça, mais Harlem et le fusil, il y avait cru; tandis qu'avec cette gamine et sa bombe bricolée, il n'y croyait pas du tout, comme si tout cela n'était pas vrai.

Ransom réalisa alors ceci : Aizy était avec lui la seule à ne pas vouloir mourir, alors que Walsh et Stoop paraissaient s'être résignés à cette fatalité !

Walsh avait l'air calme comme si sa crainte de la mort avait été recouverte par autre chose, mais quoi? Sa haine de Stoop? Son sentiment du devoir? L'envie de se racheter? Il était assis à côté de lui, ne cessant pas de fixer Stoop, pareil au vieux berger allemand de Ransom quand, accroupi dans la cour, il fixait le doberman du voisin — Stoop étant le doberman que Walsh rêvait d'assassiner.

Stoop paraissait inconscient, drogué, abruti par le Séconal et résigné. Stoop allait mourir, Ransom le savait.

— Aizy, dit Ransom, je viens de découvrir quelque chose.

— Ah ouais? Quoi donc?

— Vous êtes avec moi la seule, ici, qui ne veuille pas mourir.

— Personne ne veut mourir, répondit-elle, mais nous allons mourir quand même.

— En êtes-vous si sûre?

— Dites-moi, Ransom, dans toute votre vie, y a-t-il jamais eu quelque chose d'important pour quoi vous auriez voulu mourir?

— J'aurais aimé mourir pour ma mère, ma femme, je ne sais pas, moi. Mais je pense qu'après tout je vais mourir ici, connement et pour rien d'important.

— Stoop, dit Walsh.

Stoop jeta un regard brumeux dans sa direction.

— J'ai une proposition à te faire, mon vieux.

— Va te faire foutre avec tes propositions !

Walsh se leva.

— Allons, mon vieux. J'ai quelque chose d'important à te proposer.

— Fous-moi la paix, mec, assis!

— Non, Stoop, je suis sérieux.

Walsh marcha vers la porte de la cuisine :

— Amène-toi, Stoop, on va se causer un peu, toi et moi.

— Ne le crois pas, Stoop! cria Aizy.

Stoop se leva quand même.

— N'entre pas dans cette cuisine avec lui, Stoop.

— Ne vous agitez pas, Aizy, dit Walsh, il ne va rien lui arriver. Allez, Stoop, viens dans la cuisine une minute.

— Qu'est-ce que tu veux me dire? demanda Stoop en s'approchant.

— Pas ici, Stoop. Sois intelligent pour une fois. J'ai une bonne nouvelle pour toi. Tu sais bien, une bonne nouvelle qui va te faire plaisir, Stoop, rapport à ta liberté sous caution.

— Quelle nouvelle? demanda Aizy. Stoop, n'y va pas!

Trop tard, la porte de la cuisine se referma sur eux.

— Que font-ils? dit Aizy avec angoisse, les yeux fixés sur la porte.

— Je ne sais pas; honnêtement, je ne sais pas. Mais je ne m'inquiète pas. Tout est O.K.... Vous m'avez demandé s'il y avait jamais eu quelque chose pour quoi j'aurais voulu mourir... autrefois, un de mes amis s'est fait tuer parce que je ne voulais pas mourir.

Quand Aizy se retourna vers Ransom, elle vit le revolver que Ransom braquait sur elle et qu'il tenait fermement des deux mains. Immédiatement, elle brandit le déclencheur.

— Pardonnez-moi, Aizy, mais au bout du compte tout doit se décider entre votre déclencheur et mon revolver.

Tout en brandissant le déclencheur devant elle, Aizy regarda les mains de Ransom.

— Qu'est-ce que vous regardez, mon revolver ou mes cicatrices? J'étais avec mon coéquipier dans un appartement de Harlem et quelqu'un m'a broyé la main avec un tesson de bouteille. Si mon index avait été plus rapide que ce tesson de bouteille, mon collègue serait toujours en vie, vous comprenez?...

Elle essaya de prendre un ton sarcastique :

— N'attendez pas de moi que je vous plaigne ou que je pleure, Ransom.

— C'est toujours votre faute quand votre équipier est tué, Aizy. Maintenant que je suis le père d'un garçon de onze ans et que j'ai la chance de le voir grandir, je peux vous assurer que j'aime la vie, même si je me dégoûte d'avoir causé la mort de mon ami...

Il s'arrêta de parler un moment pour jeter un coup d'œil sur l'horloge. Plus elle l'écoutait, plus il gagnait du temps. L'horloge indiquait 20 h 56. Il continua donc de gagner du temps :

— Mon ami et moi, voyez-vous, nous faisions un sale boulot de flic, un boulot dangereux et plein de risques dans les pires quartiers de cette ville : Harlem, le Bronx. Nous formions une équipe, lui et moi, nous étions comme les deux doigts de la main... Mais ce jour-là, Aizy, ma main n'a pas su être assez rapide et c'est lui qui a pris la décharge du fusil dans le ventre... Oui, nous étions amis, c'était un Noir et je l'aimais bien, Aizy, je vous jure que je l'aimais bien...

20 h 58. Une minute à tuer, Ransom, plus qu'une petite minute... Encore une minute à faire ton sale boulot de flic et à mentir...

Cette allusion à son ami flic — le Noir — émut Aizy, ainsi que l'avait voulu Ransom.

— Si je dois crever ici, lui dit-elle, je veux savoir si Bobby est mort. Je veux savoir si Bobby...

— Donnez-moi d'abord ce déclencheur, Aizy.

— Vous êtes infect, Ransom !

— Oui, je vous ai menti, Bobby est mort.

— Alors vous n'aurez jamais ce déclencheur, sale flic !

— Aizy !

20 h 59.

Quand Aizy fit le geste de presser le bouton, Ransom appuya sur la détente de son revolver et fit feu sur elle. La jeune fille hurla, roulant au-bas du sofa. Aussitôt, une, deux, trois autres détonations retentirent dans la cuisine. Ransom se jeta alors sur Aizy effondrée sur la moquette, desserra sa main gauche, et interposa son pouce entre l'index de la jeune fille et le bouton du déclencheur...

CHAPITRE XLVII

Caroll se jeta à plat ventre dans le caniveau, face contre terre, et, transpirant à grosses gouttes, attendit en se bouchant les oreilles. Il était 21 h 10. Les illuminations vertes et agressives d'une enseigne au néon clignotant au-dessus du rez-de-chaussée d'un supermarché désert (« Viande, fruits et légumes, grand choix ») se reflétaient dans un tesson de bouteille qui ne se trouvait qu'à 10 centimètres de son œil gauche. Cloué au sol par la peur, il attendait depuis dix minutes, maintenant, l'explosion de la bombe. Caroll n'osait même plus respirer. Il entendit des hommes parler à voix basse autour de lui; il chuchota :

— Restez à terre, restez à terre.

On se demanda pourquoi l'inspecteur-chef Caroll n'osait plus hurler ses ordres. C'était donc que lui aussi avait peur. Il entendit alors, mais affaibli et venant de très loin, un vacarme effroyable. Le grondement s'amplifia graduellement. Caroll se serait enfoncé dans l'asphalte de la rue si cela eût été possible, tant ce bruit effroyable l'épouvantait. Puis, à cette première secousse, une autre encore plus forte succéda. Caroll entendit un grand battement d'ailes monstrueux qui faisait trembler l'air en s'abattant sur lui. Un éclair de lumière l'aveugla. Puis, soudain, comme venant de l'enfer, une voix forte qui ne lui était pas inconnue s'adressa à lui sur un ton irrespectueux pour son grade :

— Hé! Caroll, gros tas de merde, qu'est-ce que tu fous par terre? Relève-toi donc, gros con, au lieu de te planquer!

N'en croyant pas ses oreilles, Caroll leva les yeux : un hélicoptère de la police tournait juste au-dessus de lui, à quelque 3 mètres du sol.

Caroll se releva, blanc comme un mort.

L'hélicoptère reprit de l'altitude et s'éleva de plus en plus haut comme aspiré vers les cieux par quelque irrésistible et invisible tourbillon, sa forme se réduisant rapidement à la dimension d'une tête d'épingle.

Caroll aurait donné cher pour savoir quel grossier personnage l'avait ainsi injurié et ridiculisé.

CHAPITRE XLVIII

Caroll ne put jamais savoir qui lui avait fait le coup de l'hélicoptère. Ransom (qui en savait quelque chose) le retrouva aux obsèques de Walsh, et l'inspecteur-chef continuait encore à courir à droite et à gauche, posant cette même question :

— Vous savez qui, vous savez quoi à propos de ce putain d'abruti dans ce putain d'hélicoptère?...

Les obsèques de Walsh furent grandioses, de celles qu'on réserve aux super-flics d'élite, aux héros, et elles furent même retransmises à la télévision. Pendant une semaine, chaque agent de police de New York, chaque pompier ainsi que chaque gardien de prison porta un brassard noir sur sa plaque d'uniforme en signe de deuil. Ransom voulut organiser une vaste collecte pour la veuve de Walsh mais il changea d'idée quand il apprit que celui-ci avait contracté une assurance de 100 000 dollars au bénéfice de sa femme deux semaines avant d'être tué en *service commandé*.

Walsh et Stoop s'étaient entre-tués : leurs revolvers étaient partis en même temps et eux aussi. Aizy était en prison. Ransom l'avait conduite à l'hôpital Bellevue, où elle fut gardée dix jours en observation psychiatrique. Elle fut accusée de complicité de meurtre d'un officier de police et condamnée à huit ans de prison, après un rapide procès à huis clos, le gouvernement préférant éviter que certaines choses ne soient rendues publiques.

Brech et son équipe transportèrent la bombe hors de New York avant le lever du soleil. Plus tard, le procureur voulut la faire revenir; après tout, n'était-ce pas une preuve d'accusation? Mais la Commission à l'énergie atomique fit savoir que l'engin avait été démonté. Un rapport de la C.E.A. jugea la bombe *structurellement défectueuse sur un certain nombre de points.* Le *New York Times,* ayant eu vent de ce rapport, fit faire une petite enquête et interviewa deux éminents atomistes du M.I.T. et de l'Institut technique de Californie qui avaient travaillé sur la bombe A de Los Alamos. « Pour faire une bombe atomique, déclarèrent-ils, il faut 10 millions de dollars et les moyens d'un État... »

Aucune interview d'Aizy ne fut publiée dans la presse, et Ransom pensa qu'il en avait été de même avec James Earl Ray, l'assassin de Martin Luther King, et Sirhan-Sirhan, celui de Robert Kennedy. Il se dit qu'elle devait être gardée au secret à la prison de Bedford, à l'abri des indiscrétions de la presse, enfermée dans une de ces cellules totalement hermétiques qui ne renvoient aucun écho, dans une de ces cellules normalement réservées aux plus dangereux assassins des États-Unis... Bedford — Ransom s'en souvenait pour y être déjà allé — était un endroit agréable, situé en pleine campagne, loin de tout.

Pendant deux mois, Ransom se demanda ce qu'il devait faire des bandes d'enregistrement de la confession d'Aizy. Il les avait récupérées chez Caroll; Caroll n'en avait sans doute jamais parlé à personne car Ransom n'en eut aucun écho. Finalement, il mit les bandes dans une grande enveloppe et alla trouver l'avocat d'Aizy, dont le cabinet se trouvait dans Wall Street, non loin du siège de l'O.N.U., comme par hasard.

— Mlle Tate ne m'a jamais parlé de bandes. Quelles bandes?

L'avocat était un petit homme avec des cheveux gris en brousaille, et il devait bien peser 90 kilos de cellulite et de graisse.

— Si ces bandes ont quelque chose à voir avec la bombe, capitaine, il vaudrait mieux pour tout le monde et pour elle qu'elles soient détruites. Entre nous, je peux vous le dire, si elle dit un seul mot sur cette bombe, elle fera ses huit ans, jusqu'au bout...

— C'est ce qu'a dit le juge, n'est-ce pas?

— Vous avez ces bandes avec vous?

— Non. C'est seulement du linge sale que j'ai

dans cette enveloppe. Bon, eh bien, je m'en vais, maître.

Il rentra chez lui et cacha ces fameuses bandes à côté de certains dossiers compromettants pour certaines personnes, dans de vieux cartons de bière Kronenbourg qui se trouvaient derrière le chauffe-eau de sa cave. Si Aizy se conduisait bien à Bedford, elle serait libérée d'ici trois ans, Ransom lui rendrait alors ses bandes et elle ferait ce qu'elle voudrait avec.

Au bout de quelques semaines, le rapport de la Commission à l'énergie atomique n'étant pas très *explosif*, l'histoire perdit de son intérêt journalistique et les média l'oublièrent.

Un jour, le professeur Richard Brech appela Ransom à son bureau.

— C'est un secret, Harry. Mais s'il y a quelqu'un qui mérite de savoir, c'est bien vous.

— De quoi s'agit-il, Richard?

— Nous l'avons testée à Pahute Mesa, dans le désert du Nevada.

— Et alors?

— Je ne peux pas, Harry...

— Et alors, Richard?

— Alors, elle a bel et bien explosé... une puissance de 10 kilotonnes. Le souffle de l'explosion a même brisé quelques vitres dans la banlieue de Las Vegas...

Au téléphone, la voix du professeur Brech vibrait d'admiration. Si Aizy savait ça...

— Et personne ne doit en parler à personne, bien entendu?

— Absolument. On nous enverrait tous à Bedford, ou on nous tuerait.

— C'est très drôle, Brech.

— Si quelqu'un trahissait ce secret, ce serait évidemment démenti.

Ransom raccrocha.

Pendant dix minutes, il resta assis sans bouger dans son bureau. Il voulait qu'Aizy sache que sa bombe avait marché et il décida qu'il irait lui rendre visite dans sa prison le week-end prochain.

Il repensa à tout ce que Brech lui avait raconté, dans

l'épicerie cachère de Stanton Street : la théorie du mile
en quatre minutes, tous ces vols inexpliqués de plutonium,
une nouvelle forme de terrorisme... Il lui fallut longtemps
pour ne plus être obsédé par ces pensées, mais il lui resta
toujours une inquiétude latente. Il attendait...

ÉPILOGUE

L'homme assis au volant baissa la vitre de la voiture.
Quelques flocons de neige tombèrent sur la manche de
son manteau de cuir marron. Il regarda au loin, au-delà
de la colonne des limousines qui se suivaient pare-chocs
contre pare-chocs dans First Street, et qui amenaient le
Tout-Washington politique venu entendre le discours du
Président sur l'état de l'Union. Puis ses yeux se posèrent
sur le Capitole. Lentement, comme s'il mesurait la distance,
son regard passa sur les branches nues et grises des bouleaux
et sur les buissons de forsythia, traversa la place du Capitole avec ses bancs verts en fer forgé et sa cabine téléphonique, s'arrêta un instant sur l'agent de la circulation
qui dirigeait les voitures vers les parkings de la façade Est,
puis ses yeux revinrent se poser sur ses mains qui tenaient
calmement le volant de la Plymouth de location. De la
voiture jusqu'au dôme, il y avait 39 mètres exactement.

Il éteignit le chauffage de la voiture et se tourna vers le
jeune homme qui se trouvait à côté de lui, un adolescent
noir revêtu d'un blouson de daim.

— Est-ce que tout est prêt? demanda l'homme.

Le garçon se redressa sur son siège, s'étira et acquiesça
en souriant.

Un sac de golf en vinyle rouge, acheté cinq semaines
plus tôt aux magasins Korvette de New York, était posé
dans le coffre arrière de la Plymouth. Ce sac de golf contenait un réveil, une batterie de transistor de 6 volts, un fil
électrique de 20 centimètres branché à un grille-pain
électrique, six cuillerées à soupe de poudre à canon conte-
nues dans un sachet en plastique, un segment de tube de
bazooka de la Seconde Guerre mondiale, enveloppé dans

du zinc de plombier d'une épaisseur de 8 centimètres, une tablette de métal de lithium de la taille d'une pièce de 5 francs, une plaquette de polonium métallique et enfin deux cylindres pleins d'uranium 235 spécialement enrichi.

— Quelle heure est-il? demanda le garçon. Ses yeux étaient d'un brun sombre et paraissaient plus vieux que le reste de son visage.

L'homme ne répondit pas. Devant eux, une voiture noire dont les plaques d'immatriculation portaient la mention « corps diplomatique » venait de faire un tête-à-queue au milieu de la 5e rue, et ses roues patinaient dans la neige. L'agent arrêta la circulation, et deux hommes sortirent d'une voiture pour pousser.

— Quelle heure est-il? redemanda le garçon.

L'homme ne pensait plus qu'au sac de golf. Lorsque l'aiguille du réveil marquera 14 h 30, pensa-t-il, le courant de la batterie chauffera le fil électrique relié au sachet en plastique contenant la poudre à fusil. En explosant, la poudre mettra le feu aux 17 kilos d'uranium contenus au fond du tube du bazooka. Puis, après d'autres interactions d'un élément sur l'autre, la tablette de lithium viendra percuter la plaquette de polonium. Les neutrons ainsi libérés irradieront l'uranium en libérant d'autres neutrons, et en un dix millionième de seconde une réaction en chaîne incontrôlable — c'est-à-dire une explosion atomique — rendra le sac de golf plus chaud que le centre du soleil.

La Plymouth sera pulvérisée, de même que la rue, l'agent de la circulation, les ormes, la cabine téléphonique, etc. Le souffle de l'explosion détruira tout objet combustible dans un rayon de 400 mètres autour de la Plymouth. Des irradiations de neutrons invisibles et de rayons gamma tueront tout être vivant dans un rayon de 1 500 mètres. Un mur broyeur d'air pressurisé, auquel succédera une rafale de vent de la force d'un cyclone, démolira toute habitation dans un rayon de 800 mètres. L'aile Nord de la bibliothèque du Congrès, près de laquelle se trouve garée la Plymouth, sera rayée de la carte; à sa place, il n'y aura plus qu'un cratère en fusion profond de 50 mètres.

Dans le Capitole, toutes les personnalités venues écouter le discours du Président mourront. Le Président mourra, ainsi que le vice-président et tous les membres de la Chambre des représentants et du Sénat, les membres de la Cour Suprême et ceux des cabinets ministériels, les chefs militaires, sans compter les candidats possibles à la présidence. La totalité des individus constituant l'échelon supérieur du gouvernement fédéral sera détruite. Dans exactement...

L'homme regarda sa montre.

— Il est 12 h 30, dit-il au garçon. Il ne reste plus que deux heures...

— C'est le moment, déclara le garçon en remontant la fermeture Éclair de son blouson.

L'homme prit un petit talkie-walkie noir sous le siège avant de la Plymouth et il appela son mystérieux correspondant :

— Ici Dagger. La Plymouth et le sac sont en place. Nous demandons à quitter le secteur.

Un instant après, l'homme entendit cette réponse :

— Compris Dagger. Quittez le secteur et bonne chance...

Les deux hommes sortirent de la Plymouth, refermèrent les portières et repartirent d'un pas tranquille. Dieu sait où...

Achevé d'imprimer sur les presses de Berger-Levrault
à Nancy le 20 octobre 1978 — 778556-10-1978.